Book 3

男孩的科学冒险书

横渡百慕大三角

〔韩〕朴敬洙 〔韩〕金勋基 著

〔韩〕李宇一 绘 陈琳 译

南海出版公司

新经典文化股份有限公司
www.readinglife.com
出　品

前言

走出丛林的鲁滨逊这回又迈向了大海。这可不是一般的大海，而是地球上最恐怖、最诡谲的死亡之海，多少船只、飞机和生命都在这里离奇失踪！

这里就是百慕大三角（Bermuda Triangle）海域。

看到这里，也许你会不屑地用鼻子哼那么一声："过去百慕大之所以会显得神秘莫测，是因为当时人们对海洋不了解；可现在都已经是什么时代了，在科学技术高度发达的今天，人类已经破解了基因的奥秘，也能够到其他星球上去探险，百慕大还有那么了不起吗？"但是，我们真的像自己所以为的那样，对大海有足够的了解了吗？

500多年前，人类成功实现了横渡三大洋的航海之旅，但是当时人们看到的，不过是"冰山一角"。20世纪50年代，人类才对海底的轮廓有了初步的了解；而从60、70年代起，才开始利用深海潜水器对海底世界进行探测。目前为我们所知的生物，也仅占生存在浩瀚海洋里的数千万种生物中的几百分之一。

另外，对于海洋表面和内部的洋流、海上倏忽发生的无法预知的气象变化，还有海洋给地球气候和生态界带来的大大小小的影响……人类所了解的只是九牛一毛，像波涛中的一个小小泡沫而已。21世纪被称为科学的世纪，然而海洋对于我们，依然是一个充满奥秘的未知世界。

这些事实，使我们站在大海面前时不禁会肃然起敬，也会重新思考无数有关海洋的传说。能够一口吞掉整条轮船的巨型怪物、沉没的大陆、诡异的海底城市、海面上神出鬼没的幽灵船，还有那命运悲惨的美人鱼……当然这些并不全都真实存在，但我们也不能妄下定论，说所有这些都一定不存在。有一点是肯定的：在海洋展现的无数神秘面前，人类是极其渺小和无知的。

鲁滨逊穿越了大西洋和太平洋，亲身经历了无数奇异的事件。如果读者们通过这本书，可以了解到海洋是个多么神秘、多么令人惊异的世界，我们的主人公将感到无比欣慰，今后他将更加无所畏惧地去挑战新的历险。我们衷心希望主人公的历险记可以使各位读者领悟到海洋、环境与和平对于人类的生存和发展是多么重要。

2001年4月15日

于光华门

目录

Stage 1 突如其来的海上灾难

Stage 2　泡沫海上的神秘怪物

Stage 3　海洋深处的万年惩罚

Stage 4 破解海神波塞冬的神谕

Stage 5 最后时刻的到来

Stage 1

突如其来的海上灾难

鲁滨逊坐船行驶在北大西洋上，
谁知飓风突然袭来，轮船危在旦夕，
一位探险家临终前的托付，
注定鲁滨逊将与一段神秘传说联系在一起……

妈妈的信

滨逊：

你的信妈妈已收到。

可是你写的东西我一点儿也看不懂。一会儿是丛林深处的女王，一会儿是女儿国的神谕，你到底在说些什么呀？我向算命先生们一一问过，谁也没听说过什么叫“盖亚”的女神。

别以为我不知道你心里是怎么想的，你怕我责怪，所以撒谎了对吧？你这臭小子，既不回家，也不好好去上学，就这么天南地北地瞎逛，现在又拿这些没头没脑的话来糊弄我，你以为我那么好骗吗？

不多说了，你给我马上回家，但是绝对不要乘飞机。知道为什么每次你一坐飞机准出事吗？因为你跟飞机八字不合，命里相克。

坐船回来倒是可以的，我一直毕恭毕敬地向龙王爷上供，他绝不会让你有事的。

妈妈相信你会马上回来的，妈妈盼着你。

记住，如果这次你又因为别的事耽搁了，我就把你赶出家门，永远不许你再回来。还有啊，准备好一回家就挨打吧。

妈妈

于首尔

“唉……”

鲁滨逊长长地叹了口气，又把信从头到尾读了一遍。这信他都不知看了多少遍了，现在闭着眼睛都能背得出来，原本挺括的信纸也早已被海风吹得皱巴巴的了。

刚接到信的时候，他喜出望外，几乎要流泪了。这可是他有生以来第一次收到妈妈的信，更何况不是在韩国，而是在地球另一端的陌生国度里收到的，喜极而泣也在情理之中吧。

可是展信而读，他不禁心中怅然。他历尽千辛万苦，好不容易才战胜了重重困难，找到了生命的洞穴，可妈妈的信里非但找不到半句抚慰人心的温暖话语，还说什么回去就要准备挨打……然而转念一想，妈妈不相信自己的话也是情有可原的。自己亲身经历了一番，有时还会怀疑是不是在做梦，别人又怎么会相信呢？

过去几个月里经历过的一切仍旧历历在目：丛林勇士玛库纳伊玛，亚马逊少女莫基拉耐，还有在漫长的探险过程中遇到的许多印第安人……他们的脸庞一一浮现在眼前。这些梦幻般的时刻啊，回想起来是那么饶有趣味。然而一切都已成为回忆，现在他必须回到韩国去了，在那里，妈妈和末淑正翘首盼望着他。

“唉，没办法，挨打就挨打吧，先回去再说。可是，我回得去吗？”鲁滨逊想。

他乘坐的船现在正沿着南美大陆上端的海岸线逆水而行。从亚马逊河口乘船回韩国，必须经过北大西洋、加勒比海和巴拿马运河，这条路线比沿着南大西洋绕一圈起码快上5倍。通过连接着两大洋的巴拿马运河后，便是辽阔的太平洋了，那数万千米宽的茫茫大海的对面，就是亚洲大陆。

鲁滨逊决定乘船，并不完全是因为妈妈的信，他自己也是一提到飞机就发怵。不知见了什么鬼，他坐一回飞机就出一回事，就算现在再多给他几个胆子，他也不敢坐了。海上航行虽然漫长沉闷，但总比在空中提心吊胆要好得多。

能坐上开往巴拿马的轮船，还真多亏了在亚马逊丛林里遇见的玛玛普耐老人。船员出身的玛玛普耐向老朋友们四处打听，好不容易才为他弄到这艘小客轮上的一个三等舱位。不过到了巴拿马以后，他就得靠自己的本事想办法回韩国了。是混到一条船上打工回去，还是干脆像游泳冠军赵五连一样游回去……

“管他呢，一定会有办法的，我总不至于就这么困在巴拿马回不去了吧？在我鲁滨逊的字典里还从来没有‘不可能’这三个字呢。”

“噢——”他向天空挥舞着拳头，使劲高喊了一声。积聚在胸中的不安和忧虑多少消散了一些，他的冒险精神又开始占上风了。远处的海平线上，星星一颗颗地闪烁起来。

先来了解海的名字

地球上的所有海洋，其实是一体的，但是在每一个不同的地区都有特定的名称。现在出现在世界地图上的大大小小的海洋，共有 700 多个。如果不清楚海洋的名字，你在看外国电影或小说的时候就会一头雾水，去海外旅行时也会碰到许多难题。本书的读者们正好可以趁此机会，熟悉一下海洋的名称。

四大洋

广阔的海被称为“洋”（即英语中的 Ocean），世界上共有四大洋，按大小顺序排列，依次是太平洋、大西洋、印度洋和北冰洋。人们常把除北冰洋以外的三个大洋合称为“三大洋”。

南海并非太平洋

除四大洋以外，还有被称为“海”（Sea）的，如东海、地中海、黑海、加勒比海、鄂霍次克海、白令海等。大部分临近陆地的海都有特定的名称。严格来说，“海”是“洋”的一部分，但人们从来不会把加勒比海称为大西洋，或者把南海称为太平洋。

北海
欧洲
亚洲
鄂霍
次克海
黑海
里海
韩国
地中海
红海
阿拉伯海
南海
非洲
印度洋
大洋洲

北冰洋
格陵兰
白令海
北美洲
大西洋
太平洋
加勒比海
宾逊的航海路线
巴拿马
运河
亚马逊河
南美洲
南极洲

寻找亚特兰蒂斯的人

“嗨，小伙子，你在看什么呢，这么入神？”突然有人从背后拍了一下鲁滨逊的肩膀。“小伙子”这三个字是用法语说的。

嘀，我的法语可真不赖，竟然听得懂！鲁滨逊一边暗暗得意，一边慢慢地回过头去。

站在他面前的人身材魁梧，一头短发，戴一副太阳镜，下巴上蓄着坚硬的胡子，长得颇有几分像电影《这个杀手不太冷》中的杀手莱昂。

“哦，您好，我叫鲁滨逊，来自韩国。”他说。

“是吗，那可真是远道而来啊。”

“您是法国人吗？”

“是啊。我是从法国来的考古学家，我叫蒙哲里·加佛莱昂。”

加佛莱昂？还以为只是跟杀手莱昂长得像而已，想不到连名字都一样。看这人的块头，哪儿像什么考古学家，说他是保安还差不多。

鲁滨逊胡思乱想着，差点笑出声来，又急忙忍住笑问道：“看来您也很有兴趣四处走走看看呀。”

“当然，这正是我成为考古学家的原因，虽然我真正想去看看的地方到现在还没去成。”

“那是什么地方？”

“亚特兰蒂斯。”

“什么？亚特兰蒂斯？”鲁滨逊吃惊地瞪大了眼睛。那不就是传说中沉入大西洋的大陆吗？就为了寻找这传说中的大陆而成为考古学家？他不禁满腹狐疑，对方却是一脸的郑重其事。

“对，就是亚特兰蒂斯，被笼罩着无数传说和谜团的神秘大陆。寻找它可以说是我们莱昂家族世代相传的家业。”

“家业？”

“我的祖父为寻找亚特兰蒂斯的遗迹，在海上辗转了整整80年；我的父亲是潜水员，用了50年的时间在地中海发掘海底遗物。”

“是吗？”

“可是一切都是徒劳，他们最终一无所获，带着遗憾去世了。可我不一样。”

“有什么不一样呢？”

“我经过多年研究，终于找到了揭开秘密的钥匙。据我研究发现……”加佛莱昂突然警惕地环顾四周，压低了嗓门，好像怕谁听见似的，“亚特兰蒂斯就在这底下。”

“底下？这船底下？”

“傻瓜，”加佛莱昂一副轻蔑的表情，用手指向大海，“我说的是在海底下。”

“哈，我还以为你说什么呢，这有谁不知道？”鲁滨逊从鼻孔里发出一声笑。

大陆下沉，当然是没入海底了，难道还会跑到天上去？这是什么了不起的发现呀？吹牛皮，这人会是什么考古学家才怪呢。

然而加佛莱昂还是那么一本正经：“当然不知道了！谁都不知道那里的正确位置。”

“这么说你知道？”

“当然啦。”

“在哪儿呢？”

“你以为我疯了？连这个都告诉你？如果你真想知道，去问龙王爷或者美人鱼公主吧。”加佛莱昂连连摆手，把视线投向大海。北大西洋湛蓝的海水在船舷上轻轻地荡漾着。

鲁滨逊用狐疑的目光，一会儿看看加佛莱昂的脸，一会儿又看看大海。亚特兰蒂斯真的存在吗？他实在无法相信。从小学开始，他就知道那是子虚乌有，没想到世上还真有坚信它存在的人。

“到达巴拿马后，我准备马上去置办最先进的装备，然后出发去探险。你看着吧，马上就会有震惊世界的伟大发现了。哈哈哈……”加佛莱昂发出一阵豪爽的笑声。

鲁滨逊急忙把头转过去，避开雨点一般飞溅的唾沫。

你知道吗？

海洋大约形成于距今 40 亿年前。46 亿年前，地球从充满尘土和气体的星云中诞生。在灼热的地球逐渐冷却的过程中，火山喷发散发出大量的水蒸气，水蒸气凝结成云后，变成雨降落下来。这场大暴雨整整下了几千年，雨水淹没了地球上 2/3 的土地，形成了最初的海洋，它使地球成了一个“生命的星球”。

地球上海洋的总面积达 3.62 亿平方千米，大约占地球表面积的 70%。其中太平洋最大，面积达 1.65 亿平方千米，占海洋总面积的 46%，相当于地球表面积的 1/3，比陆地总面积还要大。地球上的水 97% 存在于海洋，2% 是北极和南极的冰雪，而淡水（包括河水和地下水）加起来还不到 1%。海水的总重量达 1200 000 000 000 000 000 吨。

巴拿马运河修建于 1907 ～ 1914 年间，全长 81.3 千米。在此之前，船只要从大西洋到太平洋，必须绕南美大陆整整一周。这条运河把大西洋和太平洋连接起来，使船只的航线缩短了 1 万千米以上。埃及的苏伊士运河起着与此相似的作用，它建成于 1869 年，贯通了 162 千米的沙漠，使地中海和印度洋连为一体。

亚特兰蒂斯是什么

历史上第一个指出亚特兰蒂斯文明曾经存在的人，是古希腊哲学家柏拉图（公元前428年～公元前348年）。他在公元前355年所著的《对话录》中，对亚特兰蒂斯作了最初也是唯一的记录。现在全世界刊发的5000余种关于亚特兰蒂斯的书籍，其实都是以他的记录作为研究基础的。让我们来看看它的具体内容。

亚特兰蒂斯的地理位置

“在地中海西边的大海中，有一块大陆，面积比利比亚和小亚细亚加起来还要大。那里有一个强大的王国，统治着利比亚、埃及和欧洲的埃特鲁斯坎。”在柏拉图的这句记载里，“地中海西边的大海”当然是指大西洋，利比亚指的是地中海南部的北非，小亚细亚指的是地中海东北部的土耳其地区。比这两个地区加起来还要大，那么亚特兰蒂斯的面积几乎仅次于大洋洲了。

《对话录》中还有这么一句：“当时经由亚特兰蒂斯，可以直接到达海洋对面的大陆。”

亚特兰蒂斯名称的由来

亚特兰蒂斯的传说起源于神话。《对话录》中是这样记载的：

“那里是众神分配土地时，分给海神波塞冬的土地。波塞冬将长子阿特拉斯（Atlas）封为那里的第一任国王，亚特兰蒂斯（Atlantis）的名称由此而来。大西洋（Atlantic）的名称也源于此，在地中海西南边的摩洛哥，还有名为阿特拉斯的山脉。

亚特兰蒂斯的灭亡

根据柏拉图的说法，亚特兰蒂斯曾是一个完美的国度。那里有肥沃的土地和丰富的资源，有强大的军队和辉煌的文明，是个理想国度。

但是后来，长期享受繁荣的亚特兰蒂斯人开始逐渐沉溺于奢侈和淫靡之中。他们野心膨胀，发起大规模侵略，几乎占领了周围所有的国家，让这些国家的人民成为自己的奴隶。为了占领地中海一带唯一没被征服的希腊，他们派出了大规模的舰队。

希腊联合军以雅典为中心顽强抵抗，终于击退了侵略军。就在那时，巨大的灾难降临到了亚特兰蒂斯。对于那场只能说是神的惩罚的灾难，柏拉图是这样记载的：“由于国民的堕落，亚特兰蒂斯遭到了可怕的诅咒。大地震、洪水和海啸一起发生，一夜之间，亚特兰蒂斯大陆沉入海底，湮灭无痕。”

亚特兰蒂斯沉没的时间

其实，柏拉图是按照古雅典政治家、立法家梭伦所讲述的故事，在《对话录》中对亚特兰蒂斯作了记录。梭伦于公元前600年到埃及旅行，从一个神职者口中听说了有关亚特兰蒂斯

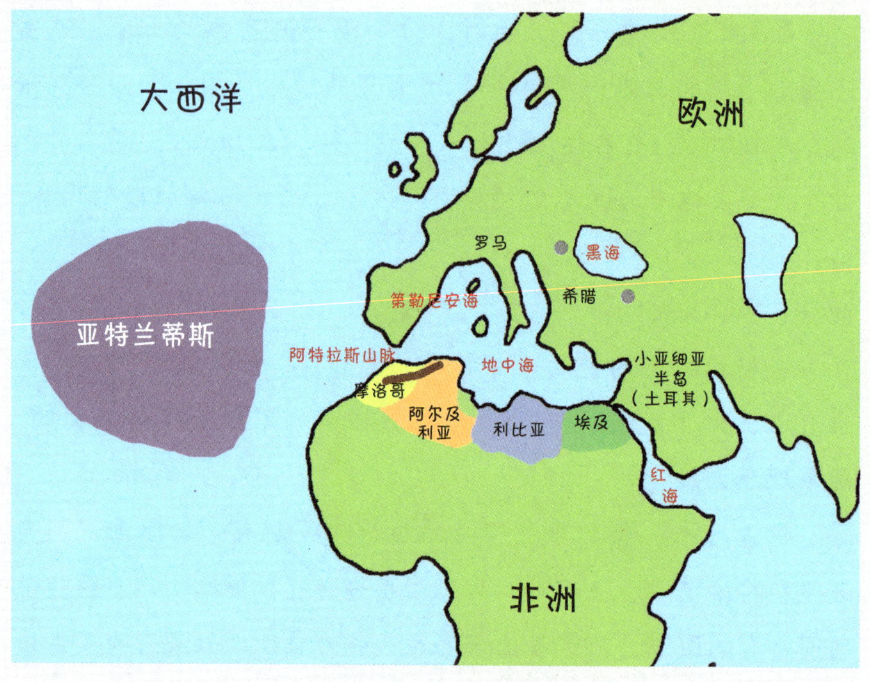

的传说。据说，亚特兰蒂斯的沉没发生在距那时9000年以前。

让我们在此基础上，推测一下亚特兰蒂斯沉没的时间。公元前600年加上9000年，是公元前9600年，现在已经过了公元2000年，那么亚特兰蒂斯是在11600年前沉入大海的。

据说亚特兰蒂斯在沉没之前，经历了13900年的繁荣时期。由此可以推算，亚特兰蒂斯大约于10000～20000年以前，存在于大西洋某处。

无论从学术的角度还是常识的角度来看，亚特兰蒂斯的传说都令人难以置信。但是，至今还有许多人为了寻找那传说中的大陆进行海底勘探，把生死置之度外，其中有考古学家、人类学家、地质学家、天文学家、海洋学家，还有梦想大发横财的盗掘者。

老船员的口哨

夜晚的大海充满了神秘的美。在璀璨的星光照耀之下，海面温柔地起伏着，一会儿将船轻轻托起，一会儿又将船缓缓压下。一切都隐藏在黑暗之中，但鲁滨逊还依稀能判断出，地平线应该在那看不到星星的地方，那里就是海天交接处。

这时，他突然听到了一阵鸟鸣般悦耳的口哨声。他环顾四周，看到一个老人走了过来，他的头上斜戴着一顶贝雷帽，脸上的皱纹有如沟壑，皮肤黝黑发亮，嘴上叼着一个旧烟斗。这是一个在电影中常见的典型船员形象。

“你好，今夜的风真凉爽啊。”

“是啊！”鲁滨逊微笑着答道。老人的眼神和表情让他觉得有种莫名的亲切感，仿佛遇到了邻居老爷爷。望着老人那安详的眼神和有力的臂膀，他突然觉得老人很像面前的大海，想必他的胸怀也像大海一般宽阔吧。

“我叫鲁滨逊，从韩国来。您呢？”

“我是葡萄牙人，我叫奥曼德·达·伽马，是这条船上的大副。”

“是吗？哈哈。”

“你笑什么？”

“没什么，您的名字挺有意思的。”

今天遇到的人怎么名字都这么奇怪？先是一个叫加佛莱昂的，现在又来一个奥曼德·达·伽马，跟当年远航印度的达·伽马同姓。不过还真是名如其人，这位老爷爷一看就是个乘船周游世界、经验丰富的老船员。

鲁滨逊问道：“您开船这么久了，是不是世界各地都走遍了？”

“当然啦，我这一辈子，什么地方没去过？陆地上不敢说，这海洋上我可都见识遍啦。”

“大海有这么好玩吗，您一辈子都舍不得离开它？”

“是啊……怎么说呢，这里面有我们家族的渊源啊。”

“家族的渊源？”

“我们家可以说是海员之家，世代都在海上辗转，已经有500年的历史啦。”

“哇，真的吗？！”

“你有没有听说过一个叫瓦斯科·达·伽马的……”

“瓦斯科·达·伽马？那是个有名的航海家呀，就是他开拓了欧洲到印度的航路嘛。”

“对对对，你知道的还真不少。他就是我的第30代先祖啊，哈哈哈……”奥曼德·达·伽马开怀大笑起来。看得出，他对家族的光荣传统非常自豪。这边，鲁滨逊也在惊叹自己的渊博学识，心中暗暗得意。行啊，鲁滨逊！你向世界展现了韩国人的聪明才智。

“您去过的地方里面，哪里最棒？”

“要说漂亮，当然要数海上的岛屿了。但是你要问哪座岛最美丽，我还真不好回答，太多了，很难挑出最美的来。”

老人微微眯起眼睛，仿佛在记忆中搜索，然后慢慢述说起来。夏威夷、加拉帕戈斯、萨摩亚、马尔代夫、牙买加……老人的口中不断蹦出这些岛的名字。

“对了，我到过那么多的岛，没有一个像拉帕努伊岛那样神秘而迷人。”

“拉帕努伊岛？在哪儿啊？”

“南太平洋，智利和新西兰之间。你知道为什么说它神秘而迷人吗？因为岛上有许多叫作毛阿伊的巨石像。”

“啊，我知道了，那不就是复活节岛吗？”

“对！你知道的还真不少啊。复活节岛是欧洲人给它起的名字，岛上的土著们把自己的岛称为拉帕努伊。”

“关于这个岛，我在书上也看到过一些。有一本叫《毛阿伊和济州岛上的石头翁[①]》的漫画书……”

说到这儿，鲁滨逊突然闭上了嘴。再说下去，可就泄露了自己除了漫画什么书也不看的秘密。但是老人脸上一副梦幻般的表情，不知有没有在听他说话。

“有一次，我在轮船上远远地眺望过拉帕努伊岛。那是个大雾笼罩的天气，透过浓雾，隐约能看见毛阿伊，他们就像下凡的

① 韩国济州岛特有的老人石像，被誉为济州岛的守护神，共 45 尊，平均身长 181.6 厘米，传说是 1754 年留下的。——译者注

天兵一般，默默地守护着那个岛。

“哦。”

“从前的船员非常崇拜那个岛。一旦位于岛中央的火山开始冒烟，他们就会认为那是从天上垂下来的脐带。我完全想象得到，在崇拜自然的人们眼中，那是一种多么神奇的现象。”

“哦。”

“直到现在，我还经常想起那时远远眺望过的拉帕努伊岛的神秘面容。等我老了，再也开不动船了，我希望能在拉帕努伊岛上度过余生，这是我的梦想。”

达·伽马老人不再说话，把视线投向晨曦初露的大海。不知何时，夜幕已悄然隐退，远处的海平面上，染上了第一抹曙光。鲁滨逊转身向船舱走去，他的身后还隐隐传来老人的口哨声。

你知道吗？

复活节岛孤独地屹立在茫茫南太平洋上，距离智利西部海岸3700千米，被认为是世界上最神秘的地方之一。它原名“拉帕努伊”，这是当地土著人的语言，意为“大陆地”。1722年，荷兰海军上将雅可布·罗赫芬率船队第一次发现了这个岛屿，因为他上岛的那天正好是复活节，于是将它命名为“复活节岛”。

开拓新世界的航海家

在大陆和大陆之间完全没有来往的时期，开辟一条新航线是极其危险的，因为海洋到底有多宽、海洋的对面到底有什么，都无从得知。在 15 ～ 16 世纪，出现了一批伟大的航海家，他们冒着生命危险，向未知的海洋进发。他们的“地理大发现”，不仅改变了我们的地图，也完全改变了人类历史的面貌。

那里就是好望角！——巴尔托洛梅乌 · 迪亚士

15 世纪，欧洲各国加速了海上探险的步伐，其中最积极的是葡萄牙。正因为这一时期开拓的航路，葡萄牙后来才能发展成为掌握世界霸权的强大国家。而这漫长的探险之路的第一步，是由葡萄牙航海家巴尔托洛梅乌 · 迪亚士迈出的。

1487 年，巴尔托洛梅乌·迪亚士奉国王之命率 3 艘轮船出发，期望寻找一条通往富庶的东方世界的新航线。他沿着非洲西海岸南下，在最南端上陆，并把这里命名为“风暴角”（后来改名为“好望角”）。他还发现，非洲的南面是茫茫大海（印度洋），一直往东延伸。

他决定继续东进，认为这样一定能够到达印度，不料遭到了疲惫不堪的部下们的强烈反对，只得返航。到归国之日止，他这次航海的总时间大约为16个月。凯旋后，他见到国王并做了禀报，当时恰好哥伦布也在场。哥伦布也是为了开拓印度航线来寻求国王的资助的。当他听说迪亚士已经发现了一条有可能通往印度的航线时，不由沮丧万分，怏怏而返。

印度航线的开辟者——瓦斯科·达·伽马

迪亚士没有坚持到底，与发现东方新航线的机会擦肩而过，真正开拓了这条航线的，是葡萄牙航海家瓦斯科·达·伽马。

1497年7月8日，瓦斯科·达·伽马率领4条轮船170名船员出发，继续探索通往印度的航道。他于11月22日通过好望角，次年3月抵达非洲东部的莫桑比克，5月20日才在印度的卡利卡特（科泽科德的旧称，印度西南部港口城市）抛锚上陆，完成了航海史上的一次壮举，这时距离他出发已经有10个多月了。当他于1499年9月回到葡萄牙时，船员中只有55人得以幸存。

3年后，他率领由20艘轮船组成的舰队，再次来到印度，击退了阿拉伯和印度的联合军。从此，葡萄牙掌握了印度洋，靠销售印度出产的胡椒聚敛了巨额财富，一跃成为欧洲最强大的国家。直到今天，胡椒还受到欧洲人的普遍欢迎和喜爱。

从此，世界开始发生日新月异的变化。38000千米航路的开拓，把一度局限在狭窄地中海的欧洲人，引向了辽阔的海洋时代。

迈向新世界的第一步——哥伦布

从葡萄牙空手而归的哥伦布终于从西班牙的伊莎贝拉女王

那里，获得了梦寐以求的赞助金。1492 年 8 月，他率领以“圣玛利亚号”为首的 3 艘轮船，带着随行的 90 名船员，开始了他的印度之旅。

当时的人们都认为印度位于欧洲的东部，但他却从大西洋中部穿过，然后西行。他认为地球是圆的，只要从欧洲海岸一直向西航行，就可以到达印度。与南部和东部不同，大西洋西部当时还从没有人去过，完全是个未知的世界。

经过整整 36 天、4000 千米的漫长航行，哥伦布终于抵达了一片大陆，那是美洲大陆东部的一个小岛，哥伦布却满心以为自己到了印度。中美洲东部的岛被称为“西印度群岛”，美洲土著被称为“印第安人”，都是哥伦布这一荒唐的错误所致。

第一个环球航行家——麦哲伦

继哥伦布的发现之后，西班牙和葡萄牙开始了美洲大陆上的殖民地争夺战。1494 年，双方达成协议，由西班牙掌管东经 134° 至西经 46° 之间的地区，其余归葡萄牙所有。这样，葡萄牙就占领了非洲、亚洲、大西洋和印度洋，而西班牙则占领了南、北美洲和太平洋。

葡萄牙在印度洋上肆意横行，积累了巨额财富。而当时的太平洋还是个未知世界，西班牙人根本无法越过它接近印度。西班牙国王对印度的胡椒垂涎不已，这时一个名叫麦哲伦的航海家站到了他的面前，主张绕过南美洲不断西进，一定能找到印度，于是国王许诺他总督的职位和巨额赏金，将开拓新的印

欧洲
亚洲
葡萄牙
卡利卡特
麦哲伦
遇难之地
菲律宾
非洲
莫桑比克
印度洋
巴尔托洛梅乌·迪亚士
的航海路线（1487年）
大洋洲
好望角
瓦斯科·达·伽马的航海路线
（1497~1498年）
麦哲伦死后其部下的航海路线（1521~1522年），
也是麦哲伦曾经航行过的路线。

格陵兰
大西洋
北美洲
太平洋
哥伦布的航海路线（1492 年）
西班牙
古巴
多米尼加
非
洲
南美洲
麦哲伦的航海路线
（1519~1521 年）
麦哲伦海峡

度航线的任务交给了他。

1519年9月，麦哲伦率265名西班牙船员乘坐5艘轮船出发，6个月后抵达南美洲南端的小海湾。经过36天的不断尝试、失败，失败、尝试，最后他们终于通过了这个连接大西洋和太平洋的海峡。这个海峡全长560千米，是地球上所有海峡中最曲折的，为纪念麦哲伦，后人将它命名为“麦哲伦海峡”。

经过20000千米的远航，麦哲伦确认了美洲大陆的西方有着地球上最广阔的海洋，并将其命名为“太平洋”。然而他的航海生涯却并不太平，因卷入菲律宾西部岛屿上土著人的纷争而不幸遇难。

在此以前，麦哲伦曾从葡萄牙经过印度洋，抵达菲律宾南部的马鲁古群岛（印度尼西亚境内众多群岛板块之一），把这两次航海经历加起来，可以说他进行了一次完整的环球旅行。

麦哲伦死后，他的部下们经过印度洋，绕过非洲的好望角，于3年之后的1522年9月回到西班牙。这真是一次不折不扣的环球航行。这次漫长的航行全程达68000千米，265名船员中生还的仅有18名。世人的赞誉之词都给了麦哲伦，但事实上，是他的部下们用生命验证了“地球是圆的”这一事实。他们才是真正的英雄。

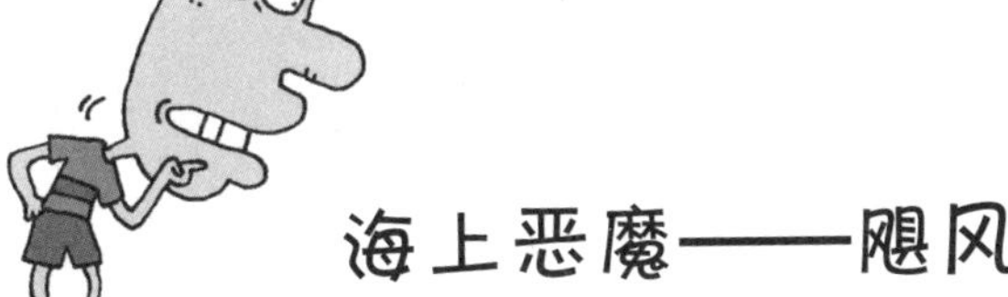

海上恶魔——飓风

鲁滨逊站在甲板最前方的瞭望台上。眼前是一望无垠的大海，海风吹拂起他的几绺头发。他沉醉地张望了片刻，回头柔声招呼末淑道：“末淑，你也上来吧。”

“不，我害怕。”

“有什么好怕的，不是有我吗？你也上来站在这儿，然后闭上眼睛，像鸟儿一样张开双臂，很好玩的！上次看《泰坦尼克号》的时候你不是说过吗，也想学学主人公的样子。”

“好啊！那你可得抱紧我哦。”末淑小心翼翼地登上瞭望台，像电影里那样，慢慢伸开双臂，闭上了眼睛。鲁滨逊也俨然一副电影明星的派头，双手扶住末淑的腰。

“你在干吗呢，还不快抱住我？”

“奇怪，你怎么会没有呢？”

“没有什么？”

“没有腰啊！你的腰在哪儿呢？怎么上下一般粗啊？”

啪！末淑一甩手，给了他一个大耳光，打得他两眼直冒金星。

他的身体失去了平衡，摇摇晃晃地从瞭望台上栽了下来。咣当——

"哎哟！"

鲁滨逊猛地睁开眼睛，才发现原来是做了个梦，还从窄窄的小床上摔了下来。他一边嘟囔着，一边从地上爬起来。这时，他诧异地瞪大了眼睛，原来其他乘客也全都从床上掉到地板上了。奇怪，这是怎么回事？难不成大家都跟他做了同样的梦？

鲁滨逊正想着，忽然听到一种奇怪的声音，好像坦克似的，轰隆隆——轰隆隆——

紧接着，轮船剧烈地摇晃起来，然后猛地向一边倾斜，毫无防备的乘客们纷纷跌倒，放在架子上的行李也摔了下来，乱七八糟滚了一地。还没等大家反应过来，轮船又猛然向相反方向倾斜，乘客们也随之摔向另一边，天花板上的吊灯像出了故障的钟摆似的乱摇了一阵，掉到地板上，砸得粉碎。

"啊！"

"救命啊——"

"亲爱的，你在哪儿？"

"哎呀，谁的手戳到我鼻子上了！"

乘客们乱纷纷地叫嚷成一片。鲁滨逊好不容易才稳住重心，慢慢往船舱外爬去。直觉已经告诉他发生了什么不寻常的事，可是就算要死，也得弄清楚情况，死个明白呀。当他一看到外面的状况，就忍不住绝望地呻吟了一声。

首先映入眼帘的，是粗大的雨柱，几乎挡住了他的视线，接着，他看到比大厦还要庞大的海浪迎面向他扑来。他这才明白，刚才在船舱里听到的巨响原来是海浪声和风声。

“哎！小伙子，那里太危险了，快回来！”耳畔传来加佛莱昂焦急的呼唤。他脸色惨白，仿佛也被眼前的情景吓坏了。

“这到底是怎么回事？天气怎么一下子变成这样了？”

“这是飓风！”

“什么？”

“我说，大西洋的恶魔——飓风来了！该死的！这么下去船会沉的！”

“不行啊，我、我可要回家呀……”鲁滨逊一屁股坐在甲板上，忍不住大哭起来。这是见什么鬼了？飞机老是出事，吓得不敢坐，才想起乘船，这下可好，连船都要沉了。

哭着哭着，他突然想起了达·伽马老人。对呀！老人一定会有办法的！他在海上一辈子，什么风浪没见过，难道会在这飓风面前屈服？他猛地跳了起来，拼命往控制室跑去。

你知道吗？

在美术课上，我们都会习惯性地将大海画成蓝色，事实上，海洋的颜色在不同的天气状况下会有些许变化。天气晴朗的时候，海洋主要反射太阳光中的蓝光，就会呈现出祖母绿、翡翠色、碧玉色等蓝色系的颜色；但是如果天气阴沉，反射光的色彩就会有所变化，大海会变成深绿色、灰色等其他颜色。以后画画的时候，根据那天的天气给大海着色吧，还可以顺便考察一下老师的科学知识水平。

飓风！台风！它们到底是什么

鲁滨逊遇到的飓风和每年夏天造访韩国的台风，可以说是有亲戚关系的。这些能把所到之处夷为平地的可怕大风雨，到底是怎么形成，又是怎么移动和消失的呢？让我们以台风为例，来认识一下它们的真面目。

台风是地球的“抽搐”现象

每到夏季，热带地区（低纬度地区）积蓄了大量的热量，在地球迅速将这些热量向高纬度地区扩散的过程中，会产生巨大的暴风雨。这是地球为了保持自身热量平衡而自然发生的“抽搐”现象。

这种现象在每个地区都有不同的叫法：发生在北太平洋西南部海面上的，叫台风；发生在印度洋和澳大利亚附近的南太平洋上的，叫旋风；发生在东太平洋和大西洋上的叫飓风 。这个家族里每个成员的风速都超过 33 米 / 秒。

形成台风的三大条件

台风形成的地区（北纬 8°～15°）是北半球的东北信风和南半球的东南信风相遇的地方。它们一旦相遇，就会形成巨大的旋涡旋转上升，构成低气压。这种低气压一旦遇到适当的条件——充足的热量和水汽，就会变成台风。

太阳提供了热量，照射在赤道上的阳光使海水蒸发，形成水蒸气，水蒸气凝结成水珠时会放热。当海洋表面温度超过27℃时，台风的基本条件就具备了。

台风的一生

台风的寿命长则一个月，短则一星期。它伴随着东北信风（北纬0°～30°）和偏西风（北纬30°～60°）行进，所以一开始偏向西边，而后方向逐渐转向东北，持续前进。

在形成初期，台风的成长速度非常惊人，这是因为热带的热空气吹向气压较低的中心地区时，形成了强大的上升气流，水蒸气与上方的冷空气相遇后，会凝结成巨大的云，然后变成大雨降落下来。与此同时，大量的热量向周围散发，上升气流更加强烈，雨也愈下愈大。这种情况循环发生，台风的力量和规模就迅速增强了。

当台风到达北方（中纬度地区）后，情况就发生了变化：热量和水蒸气供应不足，与陆地之间的摩擦也增大了，力量就会逐渐减弱。从海岸进入内陆大约240千米后，台风的威力大约会减弱为原先的一半。

台风呈螺旋状的原因

从人造卫星拍摄的照片上，我们可以看到台风是按逆时针方向螺旋状旋转前进的。这是由地球自转偏向力造成的。

什么是地球自转偏向力呢？假设我们垂直向空中发射一枚火箭，由于地球按逆时针方向自转，它会对火箭的前进方向造成影响，所以我们从地面上看，火箭是偏向右边的。从北半球上看，所有运动着的物体都好像是向右倾斜，反之，从南半球上看，都是向左倾斜的。

台风也是同样的道理。它是一种低气压，理论上说，风向应该呈直线吹向中心部分，但是因为地球自转偏向力的作用，风向始终偏右，最终形成了逆时针方向的螺旋形。当然，从南

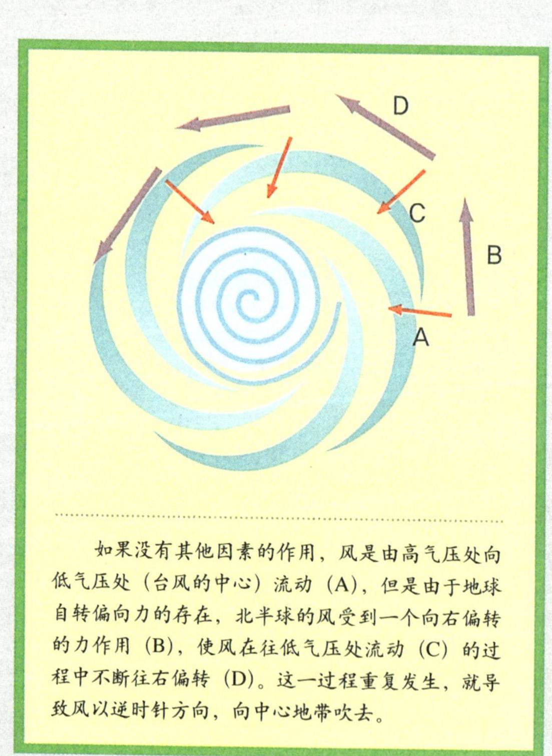

如果没有其他因素的作用，风是由高气压处向低气压处（台风的中心）流动（A），但是由于地球自转偏向力的存在，北半球的风受到一个向右偏转的力作用（B），使风在往低气压处流动（C）的过程中不断往右偏转（D）。这一过程重复发生，就导致风以逆时针方向，向中心地带吹去。

半球来看，方向正好相反。

台风也有存在价值

台风的直径小则200千米，大则1500千米，它所携带的能量超过第二次世界大战时投在日本广岛的原子弹能量的10万倍，但是大部分能量都在台风维持自身运动的过程中被消耗了，对人类造成危害的那一部分只占全部能量的10%左右。

也许你会认为，如果没有台风，许多灾难就不会发生，世界会更美好，但事实并非如此。实际上，台风起着非常重要的调节作用——使得地球上的热量均匀分布。如果没有台风，地球热量失去平衡，会酿成更为惨重的灾难。

当然，最好的办法是能让台风在登陆之前就将能量消耗完，可惜人类至今还不具备这样的能力。

为台风命名始于1945年。人们希望它能够像女性一样温柔，所以一开始给它们取了女性化的名字，但这遭到了全世界女性的强烈反对，于是从1978年起，人们开始轮流用男性和女性的名字为台风命名。现在台风发生地区的国家的人们轮流为台风命名。

恐怖的百慕大三角

“什么？你说什么？我们现在连自己的方位都搞不清楚了？”

“是啊，你看，船上所有的仪表都停止运转了。”

“怎么会有这种事……”

达·伽马老人用难以置信的表情望着仪表盘。刚才它们还清晰地指示出轮船的方位与速度、风向和风速，现在已经不约而同地全部停止运作。老人向大惊失色的船员们指示道：“快看看罗盘，确定一下方向。”

“罗盘也失常了……”

“什么?！”

这真是难以置信！罗盘靠地球的磁场作用，能够比任何其他仪表更为准确地指示方向，可是眼前的罗盘就像喝醉了酒一样，指针乱走一气，向左两圈，接着又向右一圈……不管怎么瞪大眼睛看，它都没有停下来的意思。

“这到底是怎么回事啊……”

老人沉吟着闭上了眼睛，苦苦思索着。突然，他像想起了什么似的，猛地抬起头来，睁大了眼睛。他急切地问部下们："刚才我们最后的方位是哪里？"

"北纬 15°，西经 65°，波多黎各东南部的海上。"

"飓风的风向呢？"

"不太确定，好像是南风。"

"南风？南风……"

老人拿起摊在椅子上的地图，开始辨认船的行进方向。人们的视线都集中到他缓缓移动的手指上，鲁滨逊也眼巴巴地望着老人，焦急地等待着他发话。

不要紧，没事的。老人一定会告诉大家，没什么好担心的，我们马上会看到一个小岛，到了那里就可以放心了……可是他的希望落空了。老人的脸色十分凝重，拿着地图的手无法控制地颤抖起来。

"天哪！"他发出一声低低的呻吟，看上去好像一下子苍老了十岁。

他用低沉的声音慢慢说道："我们现在……正在向百慕大海域方向行驶。"

哦，我的上帝啊！鲁滨逊简直不敢相信自己的耳朵。百慕大?！他们的船正驶向那片恐怖的海域？他极力抑制住眩晕的感觉，大叫了一声："这不可能！您在骗我们吧？是在逗我们玩吧？"

"鲁滨逊先生，"老人用悲哀的目光望着鲁滨逊，沉重地摇了摇头，"不，我没有说谎，我们的船正往那个方向驶去，不，准确地说，我们已经进入它的范围内。那些停止工作的仪表和罗盘就是证据。”

“那么赶快发求救信号吧，让人来救救我们！难道就在这里等死吗？你们大家干吗都傻站着呀？总该想办法逃出去呀！”鲁滨逊大叫道。

“我说年轻人，”一个一直低头不语的船员责备地叫了鲁滨逊一声，“没用的。通讯信号都已经中断了，船上所有的仪表都失灵了，你觉得无线电还能用吗？”

鲁滨逊哑口无言，只好用期待的目光望着达·伽马老人。老人的眼神看起来异常悲凉，脸上浮现出一丝微弱的笑容。而后，他用悲壮的目光扫视着船员们，大声说道：“我们都是大海的儿子，大海的儿子应该生于大海，死于大海，对不对？”

“对！”

“飓风也好，百慕大也好，我们一定要战斗到底，看看到底是我们赢，还是它们赢！大家能做到吗？”

“能！”

“好！那么大家各就各位！”

船员们立刻秩序井然地四散而去，达·伽马老人也丢下早已成了一堆废品的仪表，不知跑到哪里去了。偌大的控制室里只剩下鲁滨逊一个人，他不知所措地站了会儿，扑通一声跪倒在地板上，双手合十开始祈祷起来。外面，飓风来得更猛烈了。

魔鬼三角洲——百慕大

所谓百慕大三角海域，指的是北起北大西洋百慕大群岛、西至美国佛罗里达半岛东南部的迈阿密、南至列斯群岛东端的波多黎各之间的一个三角海区。这里被称为“魔鬼三角洲”，因为在过去的150年间，这个地区发生了一连串离奇的失踪事件，不要说小船，连军舰、直升机、重达万吨以上的大型货轮，甚至喷气式客机，都曾在经过这片海域时消失得无影无踪。

消失的船只和海员们

最早的记录，是1840年的法国“罗莎里号”事件。这条前

往古巴的帆船在经过百慕大海域时突然失踪，当它重新被发现的时候，船上空无一人，只有鸟笼里有一只早已饿死的金丝雀。

1888 年，300 名水兵乘坐“亚特兰大号”军舰在百慕大附近失踪；1918 年，大型货轮“独眼巨人号”与 309 名船员一齐失踪；1931 年，挪威的“斯塔凡格号”与 43 名海员、1950 年美国的“环球霸王号”、1953 年英国的“约克号”，均在此海域失踪；1963 年和 1968 年，还发生了两艘美国核潜艇的失踪事件。在这片海域里离奇失踪的船只，从 1945 年至今就已经超过了 100 多艘。

有时候，人们会发现船只完好无损，而船上的人却不见了。比如 1921 年在漂流途中被发现的“卡罗尔·迪林号”，烤箱里还烤着面包，但是船上悄无一人。1944 年古巴货船“鲁比康号”漂流到海岸上被人发现时，船上一个人都没有，只有一条孤零零的狗。所有这样神秘消失的船员，至今无一生还。

前往救援的飞机也难逃厄运

1945 年 12 月 5 日，5 架从佛罗里达起飞的美国海军鱼雷轰炸机与机上 27 人在空中失踪。据说，接到求救信号的海军当局立刻出动救援飞机，但是几分钟后，救援机也消失得无影无踪。20 艘舰船和 100 余架飞机展开了大规模搜寻行动，结果不要说机体，连一个铁片都没发现。

1948 年 1 月，一架欲在百慕大着陆的美国飞机失踪，同年 12 月，一架满载乘客的飞机在从波多黎各飞往美国途中，与迈阿密监测中心取得片刻联络后消失；1950 年，美国空军

KB-50 机与 9 名军人一齐失踪。1945 年以后在这片海域上空失踪的飞机就有 40 多架。

罗盘、无线电全部瘫痪

“这里是地面指挥监测中心。有什么情况？”

“我们的飞机不知道为什么偏离了航向，现在已经弄不清自己的位置！看不到陆地，也看不到太阳！”

“那么你们向西飞行！”

“我们根本就无法辨认方向！这里的海洋看起来跟别的地方也不太一样……机上的所有仪表都已经失灵……”

这是 1945 年失踪的轰炸机在失踪前与地面指挥部取得联络的内容。我们可以看出，当时机上指示方向、方位和速度的仪表出现了故障，无线电也突然中断。轮船的情况也是一样。当时船上都发生了罗盘失灵、仪表和装备瘫痪的情况。

更不可思议的是，发生事故的时候，一般都是阳光明媚、晴空万里，海面上风平浪静。事后倘有幸运的船只被发现，也肯定空无一人，轮船却完好无损，好像什么都不曾发生。事故原因不得而知，失踪者仿佛人间蒸发一般无处可寻，失事船只、飞机连残骸都无影无踪……这里简直就像宇宙中的黑洞一样神秘。究竟是什么在百慕大三角海域一带作祟呢？是不明飞行物，还是某个庞大的秘密组织策划的阴谋？这里会不会是时空隧道、四维空间的入口？谁也不知其中乾坤。21 世纪的今天，人类已经绘制出了基因图，但是百慕大三角仍是一个未解之谜。

暴风雨中的遗言

哗——哗——

巨浪从四面八方汹涌而来。船像一片落叶似的在浪尖上打转，而后又像坠落的飞机一般几乎垂直地一头栽了下来，淹没在滔天的巨浪中。这种情形下，为了不掉进大海，只有紧紧抓住柱子或栏杆。

“末淑，快来救救我呀——”鲁滨逊一边哭，一边死死抱住控制室里的柱子。这时，他看见加佛莱昂踉踉跄跄地跑过来，他的头不知在哪儿撞破了，鲜血直流。他脸色苍白，气喘吁吁，用蚊子一般微弱的声音说：“小伙子，你还好吧？”

“大叔，您也振作点儿……”

“振作？我们完蛋了！如果任由飓风推着船走，我们迟早会进入百慕大海域，那可是地狱啊！可是要想改变船的前进方向，逆风前进，船就会马上翻掉！”

“别放弃，肯定会有办法的，就是天塌下来，还会出现个洞呢。”

“是啊，天塌下来或许还会有出口，可是大海翻腾起来，连个能藏身的洞也找不到！”他无力地摇摇头，突然又睁大了眼睛，怔怔地望着鲁滨逊的脸："你能帮我一个忙吗？"

"什么忙？"

"我伤得很重，已经不行了，可是你年轻，或许还能侥幸保住一条命。真是那样的话……你能代我去找亚特兰蒂斯吗？"

天哪！都这步田地了，还念念不忘他的亚特兰蒂斯！鲁滨逊简直哭笑不得。但是加佛莱昂的表情是那样热切，仿佛就算只有一丝希望，他也要努力抓住。望着他乞求的眼神，鲁滨逊只好勉强点了点头。

"太好了，那你拿着这个。"

"这是什么？"

"钥匙，开启亚特兰蒂斯之谜的钥匙！"

加佛莱昂递过来的，是个牛皮口袋。鲁滨逊不解地把它打开，突然，一道灿烂的亮光从口袋里射出来，他本能地闭紧眼睛，用手挡在眼前。加佛莱昂微笑了一下，帮他把口袋里的东西取了出来。那是一块手掌大小的石头。

"怎么样，很神奇吧？"

"这是什么东西？"

"我也不知道，但是一定跟亚特兰蒂斯有关。你看这脸……"

鲁滨逊小心地张开手指，从指缝里打量着眼前的石头。这是一块圆圆的石头，散发着彩虹般绚烂的五彩光芒，上面刻着一个人的脸，凹眼隆鼻，波浪般的鬈发和胡子……就像美术学院的石膏像一般精致。

"你一定要找到这张脸的主人。它睁开眼睛的那天，就是亚特兰蒂斯从沉睡中醒来，重新复活的那一天。”

“这是谁说的？”

“这是由玛雅的预言家流传下来的传说。我是从玛雅文明的遗址——蒂卡尔的大美洲豹神庙里找到的。”

加佛莱昂的话被一阵剧烈的咳嗽打断了。鲁滨逊这才明白他已经生命垂危，连说话都很困难了。但是加佛莱昂还是挣扎着要说下去，他的表情异常严肃。他是在拼着最后一点力气，留下遗言了。

“你好好听着，揭开秘密的另一把钥匙，在石柱底下。我本来想去那里探险，没想到……”

“石柱？”

“石柱……那狭窄的大海和宽阔的大海相互融会的地方……”

“那到底在哪儿？”

“……峡……”

“家？谁的家？”

“不是家，咳咳咳……”吃力地一个字一个字往外吐着的加佛莱昂突然顿住了，他的喉咙里咕噜咕噜地发出痰滚动的声音，瞳孔里的光芒渐渐暗淡下去。死亡的阴影已经逼近。

“大叔！你醒醒，大叔！”

“那里原来是……赫拉克勒斯……”那是他留下的最后几个字。他似乎还想说点什么，但他的脖子无力地垂了下去。望着死去的加佛莱昂，悲伤和恐惧同时向鲁滨逊袭来。

“这到底是怎么回事啊……”鲁滨逊哭喊着。加佛莱昂的眼睛还没有完全闭上，一滴眼泪从他的眼角慢慢滚落下来。

关于亚特兰蒂斯的两派假说

柏拉图身后的2000年间，亚特兰蒂斯一直吸引着世界各地的人们，激发起人们丰富的想象和各种各样的猜测。要说相信这一传说吧，自己都会觉得有些荒谬；可要说服自己不去相信，不知怎的又觉得茫然若失。而大部分科学家都对它嗤之以鼻，认为仅仅是传说而已，毫无科学根据。

最大的问题是，根据考古学上夸大其词的说法，亚特兰蒂斯存在于距今10000～20000年前，当时远古人类刚刚出现在地球上。而且，经考证，距今最古老的文明——苏美尔文明出现在公元前4500年，在此10000多年以前，怎么可能会有一个高度文明的古国存在呢？

另外还有一个问题：《对话录》中曾提及，当时的亚特兰蒂斯已经出现了坦克，这一点也是引发争论的原因。人类最早的铁器文明出现在公元前3000年左右的西南亚地区。

然而仍有一些学者和探险家们不肯死心，认为亚特兰蒂斯的确曾经存在过，只不过在对它的描述上略有夸张而已。

他们的学术主张大致可以分为两派：“大西洋说”和“地中海沿岸说”。

在欧洲，相信柏拉图的说法，认为亚特兰蒂斯曾经存在于大西洋上的意见占主流地位。1492年，哥伦布发现大西洋对面的新大陆时曾大呼："找到亚特兰蒂斯啦！"这一传闻在整个欧洲不胫而走。17～18世纪，法国伟大的启蒙思想家伏尔泰也对亚特兰蒂斯的存在深信不疑。

认为加那利群岛、亚速尔群岛、马德拉群岛等北大西洋东部群岛是当年亚特兰蒂斯留下的残迹的也大有人在。他们认为，亚特兰蒂斯沉没的时候，有几座高山没有完全没入海底，于是形成了岛屿。事实上，古希腊人将加那利群岛称为"祝福城"，罗马人则称之为"幸运岛"，这说明它们自古以来就是存在的。

大西洋说不过是推测之词，而将其整理成为体系化理论的，是19世纪美国一个名叫唐纳利的国会议员。他在1882年发表的名为《亚特兰蒂斯——太古的世界》这一著作中，主张大西洋东部和西部的古代文明起源于中心地带的亚特兰蒂斯。流传于欧洲、北非、美洲大陆上的金字塔、干尸保存技术、太阳历、太阳崇拜现象、大洪水的传说等等都是其证据。这部基于地质学、地理学、考古学、语言学、生物学等领域的丰富理论和长期探险经验写成的著作，曾一度畅销，今天也仍被称为"亚特兰蒂斯学圣经"。

20世纪30年代初，德国天文学家海勒比格提出了一个有趣的理论。12000年前，月球引力的作用使地球上发生了巨大的地震、洪水和海啸等灾难，这恰好与亚特兰蒂斯沉没的时间相吻合。由此可见，撇开别的不提，当时地球上发生的自然灾害就是亚特兰蒂斯曾经存在的证据。

地中海沿岸说：亚特兰蒂斯＝克里特

唐纳利的理论新奇有趣，但无疑带有过度沉迷于柏拉图学说的倾向，得出了许多无法证实的假说和推测。“地中海沿岸说”作为一种全新的理论，对多纳利的理论提出了反驳。

1900年，英国考古学家埃文斯首次提出了“地中海沿岸说”，核心思想为：亚特兰蒂斯并非存在于大西洋，而是地中海，其中心区域是克里特岛。克里特岛是克里特文明的发祥地，它在经历了数千年的繁荣后突然于公元前1500年左右灭亡，这一历史与亚特兰蒂斯惊人地相似。

1939年，希腊考古学家马里纳特斯发表《圣托里尼岛大爆发论》，支持了埃文斯的主张。他认为，距克里特岛160千米的圣托里尼岛于公元前1500年左右发生过大规模的火山喷发，使邻近地区成为一片废墟。

1967年有研究结果表明，在覆盖于圣托里尼岛上的数十米厚的火山灰底下，发掘出了古代城市，证明当时的喷发规模之大，使整个克里特岛遭到毁灭。另有主张说，在柏拉图关于亚特兰蒂斯的记载中，绝大部分与克里特文明一致或者相似。美国《时代》周刊综合了上述内容，于1969年发表了题为《重新被发现的亚特兰蒂斯大陆》的文章。

对于亚特兰蒂斯灭亡时间比柏拉图的记录要晚得多这一

点，持“地中海沿岸说”的人们做出了一种十分有趣的解释。他们认为亚特兰蒂斯存在于距今10000～20000年前的说法怎么说都太过于夸张，所以应该把它缩小10倍左右。打了这么大的一个折扣之后，亚特兰蒂斯就变为存在于公元前2000年左右了，这样，至少在时间上跟克里特岛火山爆发的时间（公元前1500年）大致吻合。

依然是个不解之谜

20世纪50年代，人类开始进行大规模的海底探险，多纳利的主张遭到了决定性的打击，因为人们并没有在大西洋上发现曾经存在过大陆或发生过大规模地壳运动的迹象。

“地中海沿岸说”同样疑点丛生。大规模的考古发掘活动，并没有发现克里特岛就是亚特兰蒂斯的确凿证据。

1975年，美国印第安纳大学举办了以《亚特兰蒂斯：事实还是虚构》为主题的国际研讨会，各国学者、探险家，甚至心理学家纷纷前来参加，会议得出了一个最终结论：亚特兰蒂斯纯粹是个神话。

但是坚持寻找亚特兰蒂斯的依然大有人在。他们认为，今天被认定为神话的，明天可能就会发现并不是神话，正如小亚细亚古城特洛伊一样，人们曾一度以为它是神话，但是1871年该城的废墟被发现，证明它的确存在过。那么为什么亚特兰蒂斯就没有可能也在某天被证实呢？在这样的信念支持下，他们运用着自己的学识，发挥着自己的想象，至今仍不知疲惫地探寻着那传说中的大陆。

沉没

这是一场从一开始就毫无把握、毫无胜算的战斗。单是飓风就已经够难对付了，现在还加上了百慕大，真是祸不单行，再老练的海员恐怕也无法逃生了。虽然船员们都咬紧了牙关，拼命与暴风雨对抗，但是大家都预感到，最后的时刻马上就要到来了。

轮船一会儿被掀到浪尖，一会儿又被波浪卷落下来，抱着柱子的人们摔得七倒八歪。巨浪咆哮着，不停地击打着船的两侧。突然，一声巨响，轮船断裂为两半！无法避免的时刻终于来了。

船员们用尽力气将救生船抛到海上去。可是，钢筋铁骨筑成的大轮船都要沉没了，又能对小小的救生船寄予什么希望呢？被风刮进大海的人，被波浪卷走的人，被断裂的船分开的一家人……风雨声、波浪声、惨叫声与哭喊声，响彻云霄。

幸存的乘客们一个个失魂落魄地爬上救生船。本来要打开船侧的舷门才能把救生船放下去，现在已经没有这个必要了，因为早已无法分辨哪里是甲板，哪里是大海。

“孩子。”鲁滨逊正在系救生衣的带子，等着上救生船时，突然听到一声熟悉的呼唤。回头一看，正是达·伽马老人。他用坚定有力的手牢牢握住鲁滨逊的肩膀，亲切地说："别灰心，不要放弃希望。你看，远处的天空已经发亮，看来飓风不久就要过去了。只要挨过这一刻，救生船就不会翻了。还有……"他微微一笑，接着说道，"如果你能活下去，记住有机会一定要到拉帕努伊岛上去看看。到了那里，你要在海边的毛阿伊旁边帮我立个小木牌，写上我的名字，就说我一生跟大海勇敢搏斗，无愧为达·伽马家族的子孙……"

一股热流涌上鲁滨逊的眼睛，他哽咽着说不出话来，只是点点头。老人轻轻拍拍他的肩，然后推了一下他的后背，示意他快点上救生艇。鲁滨逊沉浸在巨大的悲伤之中，机械地往船上走去。

就在这时，哗——

山一般庞大的波浪和怒吼着的狂风猛扑过来，救生船像落叶似的被风浪掀翻了，乘客和船员们一齐落入水中。鲁滨逊在波涛中拼命挣扎，又苦又咸的海水不断灌进他的嘴里。

"来人啊，救命啊……"

我可真傻透了，迷迷糊糊中，鲁滨逊意识到自己现在喊救命是件多么荒唐可笑的事，不禁苦笑起来。这哪儿是喊救命的时候啊，大家都掉到水里了，还指望谁来救自己呢？

现在可是真的要完蛋了……再见了，我的亲人和朋友们……正当鲁滨逊逐渐陷入昏迷之际，突然有个人从水底下钻了出来，一把拎起他的衣领，啪啪给了他几个耳光，冲他大声喊道："振作一点！醒醒，听见没有！放松，身体不要用力，否则你就死定了！"

原来是达·伽马老人。他紧紧抓住鲁滨逊，拼命往最近的救生船游去。又咸又苦的海水呛得鲁滨逊几乎要呕吐，他极力忍住，听老人的话不再用力挣扎。幸好旁边就有一条还没有翻的救生船，正在波浪间无助地打着转。

“上去，快上去！”老人大声喊道。

鲁滨逊使出吃奶的力气，才爬上船。他伏在船舷上，向还在水中挣扎的老人伸出手去：“快抓住我的手！”可是老人摇了摇头，他的眼神好像在对鲁滨逊说：“要是我也上去的话，船会翻掉的。别管我了，孩子，好好地从这地狱里逃出去吧！”

一个浪头打过来，把救生船掀到半空中。老人的手在波浪中摆了摆，这是他跟鲁滨逊打的最后一个招呼。当船再次被海浪压下来的时候，老人已经消失得无影无踪了。

滚烫的热泪混合着冰冷的海水在鲁滨逊的脸颊上肆意流淌，狂暴的风声、海浪声都没能掩盖他的痛哭声。暴风雨肆虐的大西洋上，一条孤零零的小船随波漂荡而去……

你知道吗？

第二次世界大战中，基于对波浪的研究，英美盟军的诺曼底登陆战役大获全胜。当时为了实现安全登陆，盟军方面的科学家研究了预测波浪高度的方法。在分析了大量资料后，他们得出了一个复杂的公式，用以预测波浪的高度。当时原定的登陆日期是1944年的6月5日，但因计算结果显示那天会起波浪，第二天就会平息，于是登陆日期被改为6月6日。结果证明了科学家的预测是完全正确的。当时的指挥官艾森豪威尔将军说：“胜利应该完全归功于科学家。”

Stage 2

泡沫海上的神秘怪物

鲁滨逊独自一人坐着救生艇，
漂泊在大海上，
在一片翻腾着泡沫的诡谲海面上，
他遭到了水下怪物的突袭……

暴风雨过后

暴风雨过后的大海平静得出奇。天放晴了，万里无云，微风吹拂下，海面上泛起层层涟漪，鱼儿们在水中欢快地游来游去，水中的鱼鳞在晴朗阳光的照耀下闪闪发光。

鲁滨逊发出一声低吟，从昏迷中苏醒了过来。大西洋强烈的阳光照得他两眼发花，浑身滚烫，他本能地用手挡住刺痛的眼睛。

“我这是在哪儿呢？”他慢慢睁开眼睛，茫然地环顾了一下四周，迷迷糊糊想起自己失去意识前的情景：狂暴的波涛，颠簸的轮船，血盆大口一般黑暗而恐怖的大海……他这才明白自己已经从飓风的魔掌里逃了出来，正一个人在海上漂流。

这是见了什么鬼？又出了事故，只剩我一个了？已经三次了！无人岛、亚马逊丛林，现在又是无边无垠的大海……想到自己这么多灾多难，他不禁怨恨起老天爷来。

可是，不管他怎么抱怨、诅咒，眼前的海洋也不可能变成陆地，眼下最要紧的是振作起来，从危机中逃生。前两次都有惊无险，顺利逃生，也算经验丰富了。鲁滨逊逐渐恢复了理智和冷静。

先得看看自己还有些什么财产，以便利用它们维持生命，撑到救援到来。嘿，船上有一条桨！还有些什么呢？他又看见船角有个物品箱，连忙打开一看，里面有一副望远镜、一卷防水胶带、一根绳子、一个罗盘、一副钓鱼工具和一个水瓶。太好了，有了水瓶，下雨的时候就可以接水来喝，不用发愁会渴死了。

咦，这是什么？还有一把刀和一面镜子。刀可以用来割鱼吃，可镜子是干吗用的呀？难不成还要照镜子打扮打扮？这轮船公司到底有没有脑子，居然准备了镜子。既然这样，还不如放把梳子，再来把剃须刀呢。鲁滨逊嘀咕了几句，把镜子放回箱子，然后拿出防水胶带和绳子。在海上一定要注意防晒，阻挡紫外线，否则皮肤会被灼伤，甚至还会导致皮肤癌，这点常识他还是有的。滨逊啊滨逊，你真不赖，懂得的还真多，他得意地想。

他脱掉救生衣，像缠绷带一样，用防水胶带将全身严严实实地裹了起来。虽然他立刻觉得热得喘不过气来，可也没办法，在这毫无遮蔽的海上，要躲开紫外线，又没有防晒用品，就只能把皮肤包裹起来。

嘿，这简直成熏鱼了，估计头顶上该冒蒸气了吧？他连连用手抹去流进眼睛的汗水，穿上救生衣，然后把绳子的一端缠在腰间，另一端牢牢系在船舷上。这样，万一巨浪打来，再次掉进海里，他也不会离船太远。完成必要的自救措施后，他用望远镜四下观望，期待能看到陆地。但是不管怎么瞪大眼睛，目之所及仍是无边无际的大海和远方的海平线。

去年坠落在无人岛上，望着苍茫大海时所感觉到的那种茫然

和绝望重又袭上心头。坏了，天上一丝云都没有，也看不到海鸥的影子……云和海鸥是陆地就在附近的信号。如果天上有云，附近就很可能有陆地或岛屿；而观察海鸥飞翔的方向，可以判断陆地在什么地方。可是现在，天空像刚刚擦拭过的玻璃一样明净，不要说云或鸟儿了，连一丝灰尘都看不见。

完了，有桨也不知道该往哪个方向划才好，只能这么随波逐流了……我现在到底是往哪里去呢？他掏出罗盘，试图确定一下自己的方位，可是罗盘的指针还是不听话地乱摇乱晃，这说明船还没有离开百慕大三角海域。他的手心开始冒冷汗了。

泡沫海上的恶斗

船漫无目的地漂荡着。

已经整整一星期了，别说陆地，连小岛都没看到一个。鲁滨逊起初还一个劲地给自己鼓劲，别急，马上就会得救的，可是渐渐地，笼罩在心头的乌云越来越浓。

不幸中的万幸，是他还能弄到东西吃。

晚上，镜子将月光反射到海面上，霎时间就会有一大批鱼儿从四面八方游来，聚拢在亮光周围。发现镜子有这等功效，是在眼睁睁地饿了两天以后。现在，他已经能熟练地捕鱼来吃，有时从鱼的脊骨上拧出汁来，或是舔鱼的眼睛，还能解决口渴的问题。

糟糕的是，他的体力一天天地衰竭下去。

长久曝晒在太阳底下，浑身汗如雨下，皮肤也火辣辣地疼，再加上饥饿、干渴和孤独，还有夜晚因恐惧而无法入睡造成的睡眠不足……他的身心都在急剧地衰弱下去。

有那么一次，他以为自己有希望了。第三天的时候，他用望远镜看见水面上漂浮着四五个易拉罐和水瓶，他高兴极了，猜想陆地或岛屿一定就在附近，于是不断地用望远镜四处搜寻。可是整整两天，眼睛都没闭一下，还是什么都没有发现。唉，或许是从货船或客船上扔下来的垃圾，在海上漂啊漂啊，无意中被自己看见了。

大失所望的鲁滨逊一把扔掉望远镜。突然，他想起以前看的漫画书里的一个场景。男主人公在非洲海岸边，把一个装有信纸的可口可乐瓶子扔进大海，后来女主人公在数千里以外的澳大利亚海边拣到了。

那本书的名字叫《远涉重洋的可乐瓶》……我看到的易拉罐和水瓶该不会也是从那么远的地方漂过来的吧？他像泄了气的皮球一样一下子瘫软下来。

“拜托了，不管是无人岛也好，暗礁也好，出现点别的什么东西让我看看吧，只要不是大海……”他喃喃自语着。

突然，有种异常刺鼻的气味传来。是什么呢？难道是鲸鱼放了个屁不成？他皱皱鼻子，四下环顾，视线突然停住了。那边的水面和天空看上去怎么灰蒙蒙的，好像是雾气缭绕。他诧异地坐了起来，小心地拿起望远镜。

“啊！”鲁滨逊惊叫一声。天哪，大海怎么好像在火上煮着一样，沸腾起来了？数不清的泡沫不断翻滚着，巨大的水柱不时冲上天空。他张口结舌，愣住了。这是怎么回事啊？海洋中心会有温泉？绝对不可能；看上去又不像熔岩……等等！不会是……海底火山吧?!

顿时，他浑身的寒毛都竖了起来。如果那是海底火山……如果它待会儿爆发……那我还不得粉身碎骨！我得躲得远远的才好！

他猛地站起身来，看看船行进的方向。船被水流推动着，正往那翻腾着泡沫的海面上驶去，风也在推波助澜呢，真是雪上加霜！他拼命摇桨，想躲开那危险地带，可眼看着自己的船和泡沫海面之间的距离还是越来越近了。

咕噜咕噜的泡沫声越来越清晰，现在已经变成一种可怕而又奇怪的声音了，有时还能听到炮弹爆炸般的声响，那是膨胀到房子般大小的泡沫破裂时发出的。鲁滨逊感到手臂像灌了铅似的，越来越沉重，浑身酸软无力。

这时，一个个巨大的旋涡映入他的眼帘，这些急速旋转着的旋涡几乎每个都有足球场那么大，如果被卷进去，肯定是尸骨无存。鲁滨逊使出吃奶的力气，发疯似的划着桨，想尽快离开那里。

鲁滨逊几乎是在一种无意识的状态中本能地摇着桨，也不知过了多久，他突然发觉，那些旋涡所发出的震耳欲聋的声音已经听不见了。

怎么回事？我现在在哪儿呢？不会是在做梦吧？还是……我已经死了，只剩下了灵魂？

鲁滨逊慢慢地睁开眼睛。咦？刚才还沸腾着的大海已经奇迹般地安静下来，海面上波光粼粼，就像温柔的湖水一样。他实在搞不懂这是怎么回事，但有一点是肯定的，他已经安全逃离那可怕的泡沫大海了。

“我得救了！我从那使船只沉没、飞机坠落的百慕大三角的诅咒中逃出来了！鲁滨逊呀鲁滨逊，你的命可真大！”

鲁滨逊虚脱般地躺倒在船板上，如释重负地吁了口气，这时他才发现自己浑身上下大汗淋漓。

休息片刻后，他打开物品箱，想看看现在罗盘是不是恢复正常了。如果他猜得没错的话，罗盘应该不会再发疯似的乱走了。

可不是嘛，罗盘上的指针正乖乖地指着南和北呢！鲁滨逊欣慰地笑了起来，确认了一下船前进的方向，就安安稳稳地入睡了。

他的船现在正往东方漂流而去。那里是太阳升起的方向，也是希望所在的方向。从现在开始，一切都会好起来……

你知道吗？

在海上漂流的时候，因为口渴去喝鱼的血，是一种愚蠢的行为。为了消化鱼血里含有的蛋白质，人体会消耗大量的水分，所以喝鱼血只会越喝越渴。没有饮用水的时候，可以像拧衣服一样拧鱼的骨头，接脊椎液来解渴，或者吮吸鱼湿润的眼睛。这听起来可能有些荒谬，但是如果不想渴死，就没有别的办法。

也许很多人都认为，能够喷出炽热熔浆的火山只存在于陆地上。事实上，地球上 2/3 的火山埋藏在深深的海底。地球内部的热量通过数千米深的海底火山熔岩释放出来，在此过程中多种物质被溶解在海洋里。火山口附近的温泉水中含有的甲烷（沼气）和氢化硫，是海底生物赖以生存的基础。海底熔岩中含有丰富的铁和锰等物质，被认为是 21 世纪最大的资源仓库。

地球的温度是由洋流决定的

如同江河一样，海水也在不断地流动。海洋表面水层和深海下流动着的洋流，可以说是一种巨大而精巧的、调节地球温度和气候的装置。洋流的运动一旦停止或遭到破坏，地球就会在瞬间失去平衡，从而发生一系列灾难。

随风流动的海水

风对于海水流动的影响最大。在赤道附近，一年四季都吹着由东往西的信风，这里海水流动的方向与风向一致。

同是赤道区域，西太平洋印度尼西亚附近的海水温度比东太平洋秘鲁和厄瓜多尔地区的要高8℃左右，海平面也要高出50厘米，这是因为东部的海水随风往西流动，在那里汇集的缘故；而为了补充东太平洋所失去的水，海底的冷水就会上涌，这被称为“涌升现象”。

如果信风的风力较弱，往西流的水量就会减少，海底冷水的上升现象也就不那么明显，东太平洋沿岸的表层海水温度随之升高，这叫“厄尔尼诺现象”；反之，过强的信风会导致海底冷水大量上涌，表层海水温度随之降低，这叫“拉尼娜现象”。厄尔尼诺和拉尼娜现象是暴雨、酷热、暴雪、寒潮等气象灾害的形成原因，是地球的大敌。

与赤道地区恰恰相反，北极和南极地区一年四季吹着偏西风，这上下两股风向相反的风，使得北半球的所有洋流按顺时针方向流动，南半球的所有洋流按逆时针方向流动。鲁滨逊逃出百慕大海域后，乘坐的船一直向东漂流，正是由于这个原因。

墨西哥暖流的奥秘

与其他随着风向流动的洋流不一样，北大西洋的墨西哥暖流是逆风流向北方的。它从南部带来温暖的海水，使北部地区呈现出有悖常理的奇异景象。

冰岛就是个典型的例子。冰岛位于北极圈内，从名字来看，它应该全年覆盖着厚厚的冰雪才对，但事实上，即使是在严冬腊月，这里的水温通常也不会降到0℃以下。挪威西北部罗弗敦群岛的冬季平均水温也维持在0℃左右，比同纬度的西伯利亚或加拿大北部高出10℃以上。这些都是由于墨西哥暖流的流经所造成的。因为水温比气温高出许多，即使在冬季，这些地方的海面也是蒸气弥漫，一年四季适于捕捞，收获量非常可观。

为什么墨西哥暖流能够逆风而行呢？长期以来，科学家们一直无法破解这个奥秘，而其最终被解开，也不过20年的时间。这里就向大家介绍一下这个新出炉的答案。

下沉的水和流动的水

北极圈内的格陵兰岛上，终年覆盖着平均厚度达1500米的冰雪。1990年，由各国科学家组成的研究小组来到这里，进行了大规模冰下钻探活动。格陵兰岛上的冰雪已形成足有25万年，通过采集其样本进行分析，就可以掌握这期间的降雪量、气温、大气等状况，有助于我们了解地球的历史。

在此过程中，他们有了一个惊人的发现：格陵兰岛附近的海水正不断下沉到深海中。由数百支直径接近1000米的水柱所形成的这支“沉降流”，水量达到每秒钟2000万吨。

这巨大的沉降流的形成，跟海水的温度和含盐量有关。这里的海水不仅温度非常低，而且比别处的海水咸很多。也就是说，这里的水密度高，于是上方的水不断下沉，它们所形成的“空缺”便被墨西哥暖流所填充。墨西哥暖流之所以能够逆着风朝北流去的原因就在这里。

2000年的旅行——大洋环流

沉入海底的沉降流沿着美洲大陆的东海岸线往南流去。在4000米深的海底，它以10厘米/秒的速度缓缓流动，其宽度接近100千米。沉降流现象不仅发生在北极的格陵兰岛，同样也发生在南极。北极沉降流和南极沉降流在南美洲东南部海底相遇后，方向改为向东，一部分进入印度洋，其余的流经新西兰，进入北太平洋。深达10000米的堪察加海沟是它们旅行的终点。抵达海沟后的深海洋流不再那么寒冷，它们与太平洋温暖的海水汇合在一起，上涌到海洋的上层。

为了了解深海洋流的“旅行”时间，科学家们采集了勘察加海沟的海水标本，对其中的碳粒子进行了分析。结果，他们惊讶地发现，格陵兰岛附近的海水经过长途旅行，最终到达堪察加海沟沉入深海时，历时长达两年。这一世界上最缓慢、最神秘的深海洋流，名叫大洋环流或者大洋大循环洋流。

13000年前的灾难

大洋环流对地球上的气候有着巨大的影响。墨西哥暖流被带入冰冷的北极海，让那里的气候变得温暖；太平洋的热水里掺杂了冷水后，热带海洋的温度得到了调节，使其不至于无限制地变热。所以，我们把大洋环流称为巨大的地球温度调节器也丝毫不为过。

从浮游生物的化石推测古代海洋的温度，可以发现，13000年前地球上曾经经历过可怕的严寒天气。科学家认为，那是由于大洋环流减弱引起的。当时由于冰川融化，北美大陆上发生了巨大的洪水，大量淡水流入北大西洋，使那里的海水盐分浓度降低，导致沉降流减少，这就造成了大洋环流的减弱或中断。失去了温度调节装置的地球自然会经历急剧的气候变化。

阿拉斯加就是一个有力的证据，人们在那里发现，洪水发生以前所形成的堆积层上，有植物的痕迹以及人类留下的石器和打猎痕迹。但是，经过了13000年前的大洪水和严寒之后，那里就变成了一片生物完全无法生存的冰冷的冻土。也就在那个时期，欧洲的植物数量急剧减少。据说，直到1000多年以后，大洋环流才重新恢复正常，这期间地球上一直持续着严寒天气。

紧急情况！深海洋流正在遭到破坏

大洋环流的中断只发生在遥远的过去吗？不。根据美国国际冰河巡查组织的报告，近年来的地球变暖现象导致了北大西洋的冰山迅速消融，大冰山断裂、破碎成许多小冰山，漂浮在水面上。20 世纪 70 年代，这样的小冰山不过 400 多个，80 年代增至 600 多个，90 年代已多达 1000 余个。

冰山其实是漂浮在海面上的淡水，冰山融化后，海水的盐分浓度相应降低，密度下降，沉降流的水量也逐渐减少。据科学家分析，海水里盐的浓度减少 0.1% 以上，就会对大洋环流造成破坏。事实上，近年来在部分地区，本应下沉到海底 4000 米深处的沉降流只能下降到 1000 米左右。

地球变暖现象不仅使冰山融化，还导致赤道地区水的蒸发量上升，湿度增大，降雨量增多。其结果是，西伯利亚和加拿大的河水水位上升 10%。这些淡水流入海洋以后，使北大西洋的盐分浓度变得更低。在过去的 10000 年间，一直发挥着巨大作用、使地球的平均温度保持在 15℃左右的“温度调节器”正陷入越来越危险的境地。科学家预测，21 世纪初大洋环流还会急速减弱，到 21 世纪中期，洋流量会下降到现在的 2/3 左右，那时，整个地球的降雨量、日照量以及生态界等，都将遭到严重的破坏。人类到现在才了解深海洋流的奥秘，洋流却已经在以惊人的速度减弱了。只有减少二氧化碳等温室气体的排放，有效控制全球变暖的趋势，才是维持已经进行了 2000 余年的水的旅行、保障人类生存的唯一途径。

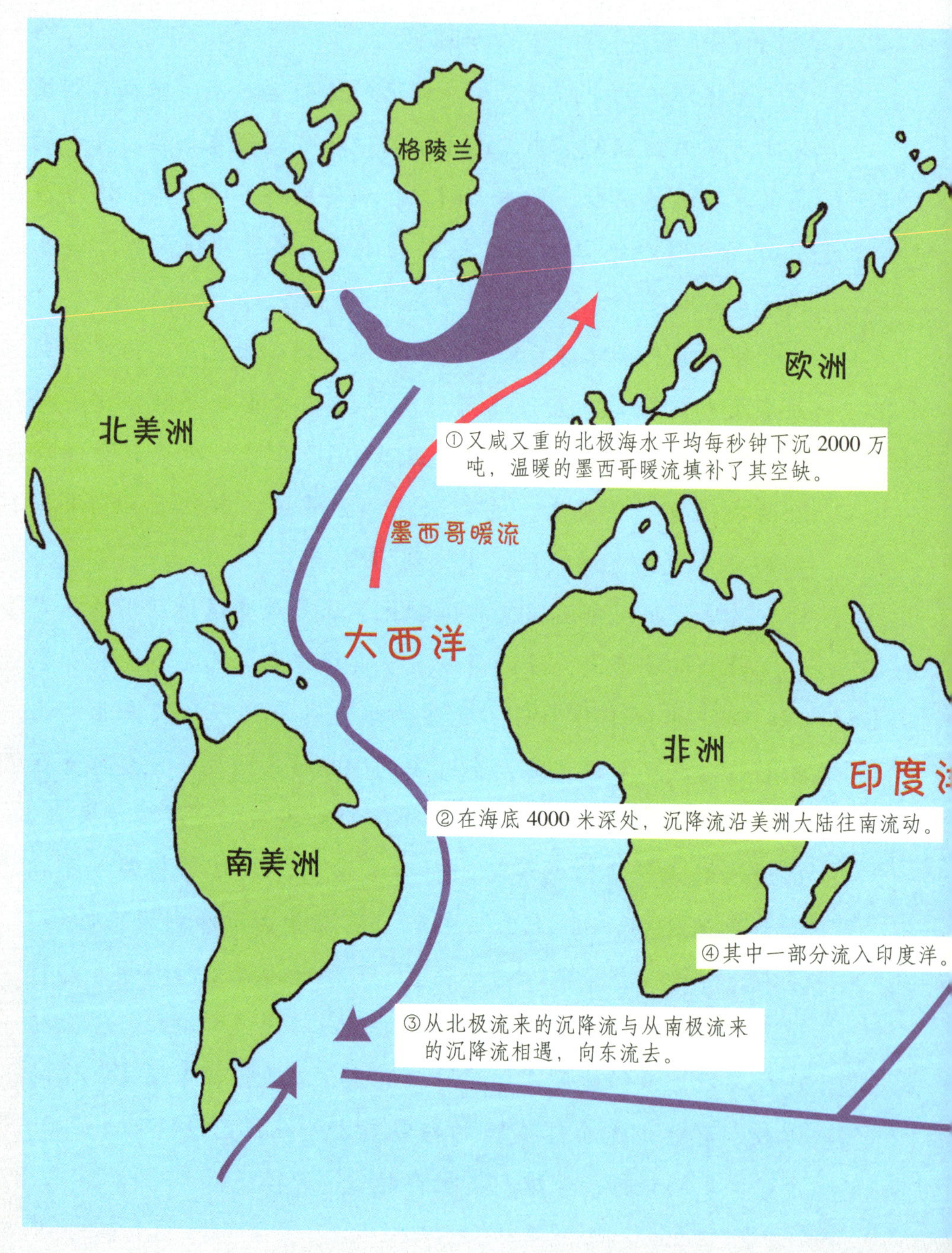
格陵兰
欧洲
北美洲
①又咸又重的北极海水平均每秒钟下沉 2000 万吨，温暖的墨西哥暖流填补了其空缺。
墨西哥暖流
大西洋
非洲
印度洋
南美洲
②在海底 4000 米深处，沉降流沿美洲大陆往南流动。
④其中一部分流入印度洋。
③从北极流来的沉降流与从南极流来的沉降流相遇，向东流去。

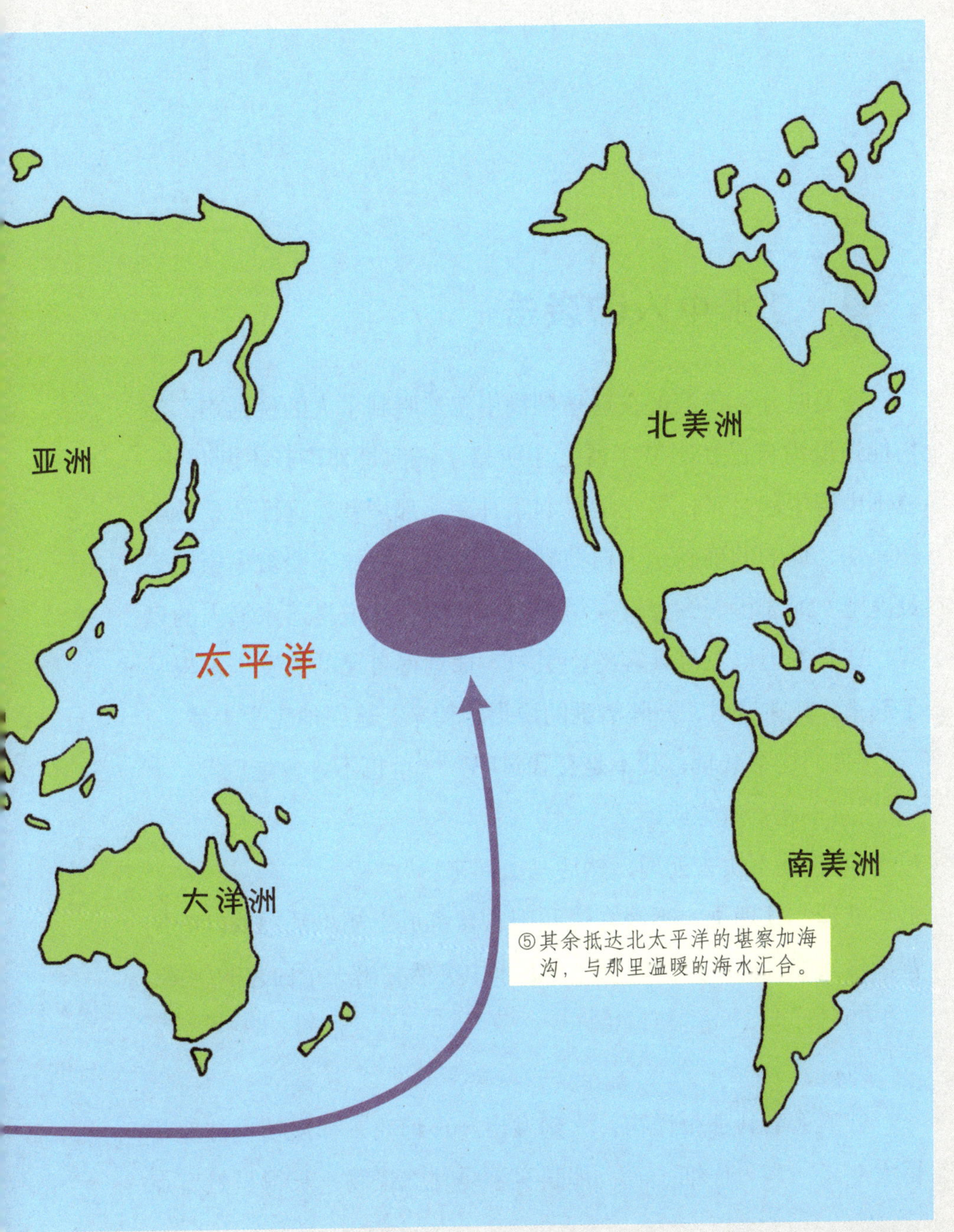

⑤其余抵达北太平洋的堪察加海沟，与那里温暖的海水汇合。

水中人的袭击

凌晨时分，鲁滨逊在迷迷糊糊中忽然听到了人的说话声。起初他还以为自己在半梦半醒之中听错了，但是那声音不断传来，他不由得坐起身来，警觉地竖起了耳朵。那声音遥远而依稀，听不真切，但的的确确是人窃窃私语的声音。我该不会被鬼摄走了灵魂吧？海洋里怎么会有人说话的声音呢？难道是落水渔夫的鬼魂，或是泰坦尼克号乘客的幽灵……他觉得自己的头发一根根竖了起来，就在这时，一阵清晰的说话声传来，这回他完全听清了。

“你们这帮蠢货，我不是交代过吗，一个也不许放走！”

“对不起，请您原谅。”

“哼！还不快去处理，然后马上回来！”

处理？处理谁？不会在说我吧？鲁滨逊正胡思乱想着，听见背后传来哗哗的水声。片刻之后，水中突然冒出一个白色的物体。

“啊！”

“呀！”

鲁滨逊看到那个怪物，立刻发出一声惊叫，那怪物也被他吓得大叫了一声。仔细一看，那其实不是什么怪物，长得虽然有点奇怪，但分明是一张人脸。

“你……你是谁？”鲁滨逊瞪大了眼睛，用颤抖的声音问道。

对方的模样要多奇怪就有多奇怪：身体奇大，脸奇小，章鱼一般光滑的脑袋，鲫鱼一般鼓出的眼睛，鳜鱼一般粗糙的皮肤。说他是人吧，长得也太怪异了，手上还长着像鸭子一样的蹼，浸在水里的那部分身体跟鱼一模一样，还有一条尾巴在那里摆来摆去。

鲁滨逊实在不敢相信自己的眼睛。出现在眼前的，不正是只在传说里听过的人鱼吗？而且还是一条雄性人鱼。

这时，船的四周传来哗啦啦的水声，许多人鱼纷纷从水底探出脑袋，把小船包围起来。其中一个怪物怒气冲冲地瞪着鲁滨逊，他头上顶着王冠状的珊瑚，看来是这群怪物的头领。

“你问我们是谁，我倒想问问你是谁？”

“我？我叫鲁滨逊。”

“鲁滨逊？哼哼，脸长得跟只虾虎鱼似的，名字也真奇怪。”

“什么，我像虾虎鱼？你们长得才叫难看呢，跟鳜鱼似的。”鲁滨逊不禁火冒三丈，冲他吼道。我可是我们鲁氏家族的单传哪，竟敢说我像丑陋的虾虎鱼？要说我像鲤鱼或者鲱鱼什么的也就算了。

这时，只听另外一只怪物喝道：“大胆！你竟然敢辱骂我们高贵的王族！”

“王族？哼，笑死人了，你们这帮腥臭难闻的鱼还有什么王族、贵族不成？瞧你们那丑样子，给我做菜都嫌不合格呢！”

“什么？！你居然说我们是鱼？你这个混蛋……”

怪物头领勃然大怒，牙齿咬得咯咯直响。他用嘶哑的声音命令部下道：“波纳利伍斯！赶紧把他给我解决了！”

“是！”一个怪物应声而出。鲁滨逊急忙躲开，赶紧划起桨来想溜，扑了个空的怪物返身又向他发起进攻，突然，传来一阵巨大的水声，怪物们愣了一愣，纷纷惊惶大叫：“哎呀，鲨鱼来了！”

“我们赶紧跑吧！”

“大家镇静！别慌张，像平时训练的时候那样，分组进攻！”

怪物的头儿的确有超出其他怪物之处。一看鲨鱼出现，别的怪物都惊慌失措，只有他镇定自若，冷静地指挥着部下们与鲨鱼作战。鲁滨逊不知道鲨鱼的出现是福是祸，只是呆呆地看着眼前的情景。

怪物们在水中的动作异常敏捷，他们秩序井然的攻击终于占了上风，鲨鱼慢慢地乱了阵脚。

鲁滨逊像看电影一样看着他们战斗，好半天才醒悟到自己的处境：他现在怎么能悠闲地欣赏别人打架呢？

“呀，长得像虾虎鱼的那家伙跑了！”一只怪物大叫道。但是怪物首领和其他怪物只是用眼角瞥了瞥，并没有过去追赶。在制伏鲨鱼之前，他们哪里顾得上鲁滨逊呢。鲁滨逊一面祈祷鲨鱼撑得越久越好，一面使劲地划桨。大约过了 10 分钟，鲁滨逊的耳边突然又传来怪物首领的说话声。看来尽管他拼命逃，还是没能逃出他们的追击。绝望中，他又开始抱怨起轮船公司来了：“干吗只在救生船上放条桨，而不是装一个发动机呢？”

“还不赶快给我抓住那个家伙，离警戒线已经不远了，你们这帮没用的笨蛋！”

“是！”

“要是放走他，我就把你们给煮着吃了，自己看着办吧，哼！”

天哪，这完全是吃人的鱼嘛！简直比上次在亚马逊丛林里遇到的恶魔还要可怕。慌乱中，鲁滨逊听到了“警戒线”一词，心里不由又升起些许希望，更加用力地划起桨来。只要再坚持一会儿，到了所谓的警戒线那儿，说不定就得救了呢，听起来这些怪物们对那警戒线忌讳得很。果然，片刻后，背后传来怪物头领的嘟囔声：“瞧，把他放走了不是，从这里开始就是那边的领地了。”

放走了？这么说，现在开始他们不会再追他了？鲁滨逊明白自己又一次从死亡线上逃脱，进入了安全地带。他停住划桨的手，往身后看去。怪物们一脸沮丧，在几米远处的水面上打转。鲁滨逊长长地吁了口气。险情过去，他不由又得意起来，冲他们喊道：“今天我肚子饱了，就放你们一马，下次要是再让我碰到，一定把你们做成鱼汤喝了！”

亚特兰蒂斯的后裔

尽管筋疲力尽，鲁滨逊还是硬撑着不让自己睡着。这两天惊险不断，好不容易捡了条小命回来，他现在可是一刻也不敢放松警惕了。万一睡着的时候又发生什么情况，还不成了鱼儿们的美餐了？

奇怪，刚才那些怪物为什么突然停止追击了呢？海上明明什么也没有，为什么嚷嚷说什么“警戒线”呢？还有，他们到底是什么？

无论怎么苦思冥想，他也解不开这些谜团，而且越想越糊涂。自己真的遇到过这些怪物，还是刚才打了个盹做了个梦，或者是因为太疲劳眼前出现幻影了？他不禁怀疑起自己来。

就在这时，他听见身后又传来哗哗的水声，跟刚才怪物们出现时一样，他的脸唰地白了。

难道这些家伙又追过来了？要是被他们抓住，肯定逃不过被煮了吃的下场。早知道这样，刚才不吓唬他们说什么做鱼汤就好了……

他紧张地抓起桨来。一顶眼熟的王冠从水里冒了出来。哎呀，这下我可死定了！他两腿发软，一屁股坐了下来。

“刚才很惊险吧？”

咦？这分明是另外一个人，不，是另外一只怪物。鲁滨逊呆呆地望着出现在眼前的怪物。椭圆的脸蛋，大大的眼睛，高高的鼻子，分明是个女孩子，而且还是个非常美丽的女孩子，根本不像刚才那帮家伙一般凶形恶相。

“你，你又是谁？”

对方没有回答，只是好奇地打量了他片刻，用银铃般动听的声音问道：“你是谁呀？”

“我？我是鲁滨逊。不是我先问你的吗，你是谁？”

“你怎么跑这儿来了？撒乌里乌斯他们怎么没拦住你？”

撒乌里乌斯？哦，刚才那个怪物头领叫撒乌里乌斯啊，名字跟长相一样凶恶嘛。

鲁滨逊装出一副勇敢的样子，摇摇手中的桨说：“是啊，他们刚才挡住我的路了，不过我用这个把他们打跑了。”

“是吗？”对方怀疑地摇摇头，又将他从头到脚打量了一番，而后微微一笑，说道，“看来你运气不错嘛，从那帮野蛮家伙的手里逃出来了。我想，他们是因为不敢越过警戒线，才放了你吧？”

“不是这样的……”鲁滨逊尴尬地用手挠挠后脑勺，含糊地说。牛皮吹破了。

对方好像猜中了他的心思似的，微笑着说：“不管怎么样，你真行，别人可都是在到达警戒线以前就被他们抓住了。很高兴见到你，你是个勇敢的人。对了，我的名字叫玛尔丽加。”

玛尔丽加？刚才是撒乌里乌斯，现在又是玛尔丽加……这些生活在水中的人让鲁滨逊越来越糊涂了。“可是，你们到底是些什么人呀？刚才那帮怪物们想害我……”

啊呀！我怎么能说是怪物呢？虽然她跟他们看起来是一个种族的，可叫她怪物，她该多难过呀，她长得这么漂亮。可是，她身上又是蹼又是尾巴的，好像也不应该叫人……鲁滨逊不知道该露出什么样的表情才好，急得眼珠子直打转。

玛尔丽加开口说道：“我们不是什么怪物，当然也不是野兽。我们只不过是受到神的惩罚，才成了这么一副半人半鱼的模样……”

“神？惩罚？”

“是的，惩罚，1000 年漫长而孤独的惩罚。虽然撒乌里乌斯是王子，我是公主，但是我们也无法幸免。”

“公主？难道你就是美人鱼公主？”

“美人鱼公主只是神话而已，我可是货真价实的公主，虽然我们的王国已经没落了。”

“王国？你们是什么王国的，每个人都戴着个鱼的面具？”

哎呀，又说错了！不应该说鱼的……鲁滨逊抱歉地看着她。

她带着悲伤的笑容，慢慢地回答道：“我们从 12000 年以前就开始在水里生活了。我们王国的名字是……”

“是什么？”

“亚特兰蒂斯。”

亚特兰蒂斯！居然是亚特兰蒂斯！加佛莱昂那么向往的传说中的大陆！它的后裔们至今还生活在大西洋里……鲁滨逊怔住了。

远处天空中，一颗流星拖着长长的尾巴，坠落在海平线附近。

Stage 3

海洋深处的万年惩罚

传说中的亚特兰蒂斯竟然真的存在，
在沉没于海洋深处的古老王国里，
鲁滨逊终于明白了
百慕大三角的死亡之谜……

大陆沉没的原因

原来柏拉图留下的记录是千真万确的，地中海西面的大海（大西洋）上有一片巨大的陆地，大陆上曾经存在着一个神秘的高度文明的大帝国，却在一夜之间沉入海底……原来这一切都是真的，并不是传说中的海市蜃楼！

“可是，”鲁滨逊怀疑地问，“亚特兰蒂斯的沉没真的是由于神的惩罚吗？也可能是因为地震或火山爆发什么的啊，那就是纯粹的自然现象了……”

“不是这样的。”玛尔丽加摇摇头，打断了他的话。

嗬，这么不客气地打断别人的话，这习惯跟末淑一模一样嘛。鲁滨逊不高兴地噘起嘴巴，气呼呼地瞪着她。

“这是神的惩罚。”

“什么神？”

“当然是波塞冬啦。你连统治海洋的海神波塞冬都不知道吗？”

“波塞冬？”鲁滨逊歪着脑袋，努力在记忆中搜索。想起来了，他在漫画书里读到过海神波塞冬的故事，那本书叫什么来着，《龙王的对手》？波塞冬是众神之王宙斯的弟弟，也是上次在亚马逊丛林中向他传达神谕的大地女神盖亚的孙子。

“好吧，就算是这样，波塞冬为什么要把亚特兰蒂斯弄沉呢？他既然是海神，就应该像模像样地当他的海神，好好照顾海上的臣民才对嘛。”

“一开始当然是这样的，直到人们开始沉迷于战争……”

“战争？”

“是的。”玛尔丽加望着大海，眼睛里满是忧伤，声音也比刚才低沉了许多，“我慢慢告诉你吧。波塞冬任命阿特拉斯为亚特兰蒂斯的第一任国王，亚特兰蒂斯的名字就是源于他的名字，大西洋的名字也是由此而来。”

“然后呢？”

“从阿特拉斯开始，我们的王国长期处于繁盛时期，资源丰富、科技发达、军事强大，统治了欧洲、利比亚和埃及。但那恰恰埋下了祸根。”

“怎么了？”

“亚特兰蒂斯人四下征战，建立殖民地，把那些国家的人民当作自己的奴隶，奢侈和享乐之风在整个岛上蔓延。更可怕的是，一股敬奉别的神的新势力出现了，他们不服波塞冬的管辖，野心膨胀，气焰嚣张，妄想征服整个世界。”

“喃，难怪波塞冬会发怒了。”

“波塞冬数次发出警告，要是亚特兰蒂斯人胆敢再发动战争，他就要降下严厉的惩罚。但是亚特兰蒂斯人置若罔闻，为了征服雅典，他们派出了大规模的舰队。雅典是地中海一带最强大的国家，他们认为只要掌握了那里，就无人能与他们为敌了。”

“然后怎么样了呢？”

“雅典人拼死抵抗，终于击退了侵略者。由于战争，亚特兰蒂斯遭受了严重的损失。就在这时，惩罚也降临在这些无视神的旨意的人们身上。这是多么可怕的惩罚啊……”

“就是大陆的沉没吗？”

“是啊。”

“这听起来有点像巴别塔的故事嘛。”

“是啊。当年巴别塔也是人类违背神的旨意建造起来的，最后还不是建到一半就倒塌了。亚特兰蒂斯的命运也差不多，因为触怒了神，它的繁华与荣耀在顷刻间化为乌有。”

玛尔丽加叹了口气，将视线投向夜晚的大海。望着她满含热泪的眼睛，鲁滨逊不禁怨恨起波塞冬来。

你知道吗？

波塞冬之所以成为海神，是因为他和兄弟宙斯、哈得斯将世界一分为三的时候，分配到了海洋的管辖权。波塞冬其实比宙斯诞生得早，但是因为小时候被他们的父亲克洛诺斯吃掉，而宙斯救出了他，所以他就被排在弟弟宙斯之后了。宙斯掌管天空，波塞冬掌管海洋，哈得斯掌管人死后的世界冥界。

海洋深处

“该跟你说再见了。”久久沉默不语的玛尔丽加回过头来说道。

鲁滨逊吃了一惊：“再见？”

“不说再见吗？难道你要我一直待在这儿？”

“哦，不是的……”

鲁滨逊抓抓头皮。他心中还有无数的疑问，加佛莱昂的临终嘱托也在耳边回响起来。他用手摸摸藏在怀中的牛皮口袋，热切地说：“嗯……我能去那儿看看吗？”

“哪儿？”

“亚特兰蒂斯。”

“你说什么？”玛尔丽加惊讶地瞪大了眼睛，好像在说“你疯了吗”。

怎么，她要拒绝我吗？鲁滨逊赶紧做出一副可怜相，用恳求的目光望着她。这可是他有求于人时的撒手锏。末淑那么凶巴巴的人也每每在他的这种表情面前心软下来，像玛尔丽加这么善良的人鱼能忍心拒绝他吗？

果然，玛尔丽加起初一副没有商量余地的样子，把头摇了又摇，之后却渐渐犹豫起来，露出为难的神情。过了好久，她才无可奈何地叹了一口气，点点头说道："好吧，我满足你的愿望。但是……"

"但是什么？"

"我可保证不了你的安全，你自己看着办吧。"

"安全？"

"亚特兰蒂斯人隐藏自己的踪迹已经有整整一万年了。万一发现你是从外界来的，他们可不会放过你的。"

鲁滨逊闭上眼睛，思索了片刻。弄不好，自己就会在这水里稀里糊涂地丢掉小命的……但是，没有什么能够阻挡他的冒险精神。

他抬起头，用坚定的语气说："我去。别担心，我会当心的。"

"好，那我们走吧。"

"可是……"

"怎么了？"

"你们一直在水里生活，当然没有关系，可我怎么办？我受不了深海的水压，而且在水里也没法呼吸呀。"

"这个你尽管放心。"

看着他担忧的表情，玛尔丽加笑了起来："只要进入城市内部，就没有水的压力了，因为城市四周流动着一种特殊的液体，能够吸收水压。"

"啊，还有这种事？"

“当然啦，别忘了，这可是在我们亚特兰蒂斯啊。”

“可是，我怕还没进入你们城里，就已经被水压给压死了。”

“不要紧，我们乘潜水艇到城里去。”

“潜水艇？”

“我们在海洋里常用的交通工具是潜水艇，这比游泳省力多了，速度也快。亚特兰蒂斯人当年在陆地上生活时，就常常坐潜水艇到水里去游玩。”

“那么早的时候就有潜水艇了？你骗人吧？”

“哼！你忘了亚特兰蒂斯是个神秘的文明古国啦？”玛尔丽加轻蔑地看了他一眼，上来从背后推了他一把。

“啊——”遭到突袭的鲁滨逊扑通一声跌进大海。耳畔传来玛尔丽加银铃般清脆的笑声：“抓牢了，我们现在出发！”

他们向大西洋海底游去。玛尔丽加像人鱼一般灵敏，鲁滨逊则像水母一样笨拙地扑腾着。

你知道吗？

感觉上，携带水中呼吸器——水肺下海潜水，可以达到比不用水肺时深得多的地方，但事实并非如此。这应该归咎于在呼吸压缩空气的过程中体内所聚积的氮气。水下作业一段时间再重新冒出水面时，突然的压力变化会导致体内的氮气形成气泡，气泡如果进入大脑或脊椎，就会带来生命危险。水肺潜水的极限是30～40米，需要到更深处作业的职业潜水员必须在潜水前后进行几十天的适应训练，以防止潜水病。

神秘而惊人的海洋生态界

科学家推测，海洋里可能生活着 1 亿种生物，最少也有 1000 万种。神奇的是，这么多的生物怎么都能生存下来而不会饿死呢？当然，大生物可以靠捕食小生物存活，可是维持生命活动所必需的有机物——葡萄糖和氨基酸又从何而来呢？

只有植物才能制造出这些有机物，动物要摄取有机物，只能吃植物或者其他以植物为生的动物。陆地上的食物链是：植物—食草动物—食肉动物，而在海洋里，直径不超过 0.001 毫米的浮游植物就是食物链的起点。

浮游植物靠光合作用制造有机物，在阳光无法到达的水深 200 米以上的深海中，它们是无法生存的，所以浮游生物都生长在海洋的浅表层，生活在海底的生物根本不可能以它们为生。但是，浮游植物制造有机物时所必需的氮和磷，又大量集中在它们无法存活的深海里。生态界的矛盾现象，真是令人百思不得其解。海洋生物到底是用什么办法来解决这些问题的呢？

从上层到下层的办法

与陆地植物一样，浮游植物也含有光合作用所必需的叶绿素，与水中溶解的二氧化碳、氮、磷结合后，就生产出葡萄糖和氨基酸。这样，对于海洋上层的生物来说，食物来源不成问题，但对于海洋下层的生物来说，必须有办法帮它们将上层的有机物运输下去。方法有好几种，第一种——虽然有点脏——是排泄物。

浮游植物首先被浮游动物摄取。浮游动物的排泄物里混杂了许多浮游植物，大部分排泄物在沉入海底的过程中被溶解，但是其中桡足类动物的排泄物被透明而坚固的薄膜所包围，根本不会溶解，于是便一直沉落到海底。就是通过这些能够潜水数千米的排泄物，海洋上层的粮食被运送到下层。

第二种运输手段不但脏，而且有点恐怖——排泄物 + 尸体。在关于海底世界的纪录片里，常常可以看到那里漂浮着许多雪花似的白色物体，那是由浮游植物的尸体和其他生物的排泄物混合而成的。通过这种方法，由浮游植物所生产的 10% 左右的有机物被输送到海底。

第三种运输方法是由磷虾来完成的。白天，它们来到海洋上层，吃浮游植物，晚上就回到海洋下层。它们可谓是体内装

满有机物的活仓库，海底生物通过吃磷虾来摄取珍贵的有机物。

海洋上层的有机物通过上述三种途径被运输到海底。在只占海洋体积 5% 的海洋上层空间里生产的有机物，养活了其余 95% 的区域内的生物。海洋浮游植物一年制造的有机物达 100 亿吨，相当于全部陆地植物的有机物生产量。

从下层到上层的方法

浮游植物光合作用时所必需的氮和磷存在于海洋深处。海底的细菌能够将从上层下来的有机物分解，生产出氮和磷。这些物质如果不重新被传送到上层水面，浮游植物就无法继续生产有机物，海洋的食物链和生态界将会遭到破坏。

我们都知道，海洋深处的水压非常大，那么氮和磷是怎样克服这种压力，来到上层的呢？答案就是本书第 57 页上提到的“涌升现象”。在上层海水随风流走，下层海水涌上来进行补充的过程中，海底的氮和磷就不断被运送到了上层。

涌升现象的代表性场所是秘鲁海，这里生长着丰富的浮游植物，被称为绿海。大量氮和磷从海底上升到海洋上层，浮游植物的数量也随之增多，以吃浮游植物为生的其他生物也就相应地增加。这里捕获的凤尾鱼占全世界捕捞总量的 1/4。

有机物从海洋上层落入底层，氮和磷又从海底上升到海洋表面，如果没有这种把上下连为一体的神秘流通体系，海洋里连一种生物都不可能存活。由海水、风和生物体共同参与的这个巨大的体系是使海洋成为一个生命空间的关键所在。

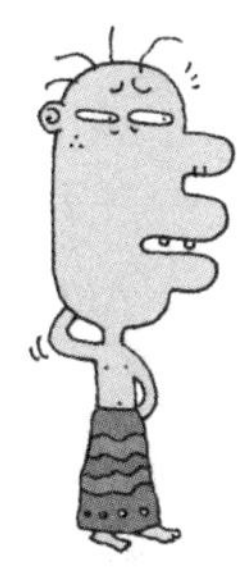

水中人的潜水艇

潜水艇在离水面不远的地方。这是个圆形潜水艇，有几个很大的舱门。鲁滨逊走了进去，像侦察员一样四处观望着，玛尔丽加始终带着微笑,尾随他进去。她用尾巴“走路”,有点一跛一跛的，但是姿势非常曼妙可爱。

“哇，真神奇！简直跟《海底两万里》中所说的一模一样。”

“那也是漫画吧？”

“漫画怎么了？男孩都爱看漫画，我一天不看就浑身难受。”

玛尔丽加将鲁滨逊带到一个小房间里。这个房间用各种各样的珊瑚和贝壳装饰得五光十色，漂亮极了。

“你得先变装才行。”

“变装？你是说我的脸吗？”

“你的脸倒是跟我们差不多，特别是你脑袋秃得几乎没几根头发，别人不会知道你从是外界来的。可你的腿……”

玛尔丽加上下打量着他的腿。好好的，看人家的腿干吗？鲁滨逊有点不自在了，正想责备她几句，可是发觉她的眼神看上去有点忧伤，想必又想起了他们部族失去腿的悲惨命运。

“别人一看你的腿，不就全露馅了吗？”

“那怎么办，藏起来？”

“用裙子遮着吧。”

“裙子？”

“亚特兰蒂斯人不论男女，都经常穿裙子，因为我们的两条腿已经粘在一起，没法穿裤子了。”

“奇怪，你们在水里干吗还要穿衣服呢？”

“那是因为……我们想把退化了的腿藏起来。”玛尔丽加的眼神有着说不出的悲伤。鲁滨逊不知该说什么好，只是默默点了点头。

过了一会儿，玛尔丽加轻轻拍了拍手：“那拉丽！”

“是，公主！”

“你伺候这位先生穿上裙子。”

“是！”房门背后传来一个略显沙哑的嗓音。鲁滨逊吃了一惊，她的声音怎么这么像末淑？叫什么名字来着？那拉丽？

“啊！”等那拉丽从门背后出来时，鲁滨逊不由惊叫一声。

“你怎么了？”玛尔丽加问道。

“呃，呃……那不是末、末淑吗？”鲁滨逊两腿发软，不由后退了好几步。天哪，这个侍女的脸简直就是末淑的翻版。

“尊敬的先生。”那拉丽含情脉脉地瞟了他一眼。

“呃……”

“请跟我来。”

“呃……”鲁滨逊跌跌撞撞地跟在那拉丽后面。她的表情和语气，分明表示对他已经一见钟情了。这可太奇怪了，怎么天底下长成这样的人都会喜欢我呢？韩国的末淑，亚马逊丛林里碰到的莫基拉耐，现在又是亚特兰蒂斯的那拉丽……那拉丽将鲁滨逊带进旁边的房间，从挂在墙上的一堆裙子里挑出最华丽的一条曳地长裙，这是用柔韧的水草制成的，下摆上缀满了足球那么大的珍珠，闪闪发光。“请您穿上。”那拉丽说道。

“啊？哦，好的，谢谢你。”

“您是公主的朋友，对我说话不必那么客气的，嘻嘻。”

“哦，好，我知道了。”

“要我帮忙吗？”那拉丽一副要过来帮他的架势。

鲁滨逊吓了一大跳，连连摇头，一把夺过她手里的裙子，一边后退一边嚷道：“别过来！”

一万年的惩罚

透过潜艇的玻璃窗往外看去，大海的景色是那么美丽而神秘。大大小小的鱼儿成群结队地游来游去，五颜六色的海草和珊瑚在水里漂荡，偶尔还会有房子那么大的鱼张着大嘴靠近潜艇。鲁滨逊着迷地欣赏着海底的景象，不时发出惊叹。

潜艇向大海深处驶去，周围逐渐变暗，潜艇却丝毫没有减速，因为镶嵌在艇上的巨大宝石发出耀眼的光芒，把四周照得异常明亮。看来亚特兰蒂斯人是用宝石来做潜艇的探照灯的。

“对了，”鲁滨逊问，“你们是从什么时候开始变成现在这副模样的？以你们的能力，完全可以回到陆地上去，为什么一直生活在海底呢？上次你说的那个叫撒乌里乌斯的强盗为什么追我追到中途就停住了？百慕大海域的失踪事件跟你们有没有关系？还有……”

“停！”

“怎么了？”

“一个一个地问吧。一下子问这么多，我哪里回答得过来呀？

我又没有五六张嘴。”玛尔丽加嗔怪地瞟了他一眼，又将视线转向大海。

过了一会儿，她开口道：“是啊，亚特兰蒂斯人的确有这个能力。陆地沉没那会儿，死了不少人，活下来的人都希望有一天能够回到陆地上去。我们只要乘坐潜艇，马上就可以到达欧洲东部或美洲西部，退一步说，怎么也可以到某个小岛上去吧。”

“那你们为什么不去呢？”

“这是神的旨意。”

“神？波塞冬吗？”

“不错。发生地震的时候，人们痛哭流涕地向波塞冬乞求饶恕，但是他们醒悟得太晚了，波塞冬不为所动，命令他们从此再也不许踏上陆地半步。这是神通过我们的祭司长发出的最后的命令。”

“这简直太过分了！如果是我，肯定会宽恕你们的。”

“我能理解。因为波塞冬实在太愤怒了。”

“理解？你们已经在水里生活一万年了！你怎么还能帮着波塞冬说话呢？”

“你不懂。当初我的祖先发动战争，不知给多少人带来了痛苦。他们在父母眼前杀掉孩子，当着丈夫的面奸污妻子，掠夺别人辛苦赚来的血汗钱……有时我会想，现在囚禁着我们的这个大海，说不定那时还不是海洋，而是那些不幸的人流下的血和泪水……你说，我们的祖先犯下这样的滔天罪行，神怎么能轻易饶恕我们呢？”

“但是……”鲁滨逊哑口无言，只在心里说，如果换了是我，一定会宽恕你们的。

“最后，生存下来的人们不得不放弃了陆地，选择了在海洋里生活。虽然痛苦，但这是唯一的选择。”

“……”

“他们就靠潜水艇，在海洋里艰难地生活着。慢慢地，人们的模样发生了变化，而且学会了在氧气稀少的水里呼吸，像鱼儿一样熟练地游泳，在不是很深的地方，没有潜艇也能生活……当然，作为代价，我们失去了头发和腿脚。”

“这么说，你们的变化是一种进化了？”

“是进化还是退化，谁能说得清呢。我们只知道，我们已经适应了水中的生活。”玛尔丽加微微地笑了一笑，垂下了眼帘。

鲁滨逊看看自己露在裙子底下的两条腿，忽然觉得很抱歉，偷偷地把腿往裙子里缩了缩。

“做得好。”玛尔丽加歪着头，抿嘴一笑。

“怎么了？”

“我老早就闻见你的脚臭味了。”

你知道吗？

到水深200米处的地方，都还可以看到微弱的光线，但是继续往下，就是一片漆黑世界了。在这片黑暗之中，普通灯光最多只能照亮10米，连穿透力最强的激光也只能穿透30～40米的距离，电波的能量在水中也会迅速被消耗，几乎毫无用处。相比起来，声波能够传送到更远的地方。潜艇在进行勘探或通讯时，大部分都是利用频率超过20000赫兹的超声波来作业的。

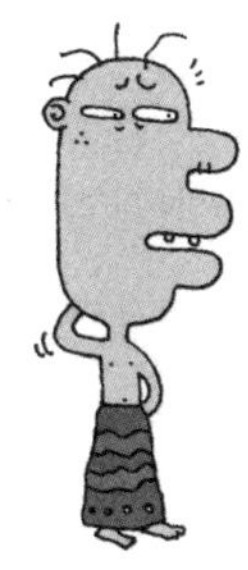

亚特兰蒂斯的分界线

“现在来回答别的问题吧。那个叫撒乌里乌斯的到底是什么东西呀？还有警戒线又是什么呢？”

“要说这个，还真有点复杂。你得先了解亚特兰蒂斯沉没以后发生的事情才行。”

“什么事情？”鲁滨逊兴致勃勃地听着她讲的既有趣又悲哀的亚特兰蒂斯历史。

“整整5000年了，亚特兰蒂斯人被囚禁在水底，等待神的宽恕。慢慢地，人们对神的怨恨情绪越来越浓。既然神不肯宽恕我们，我们就起来反抗吧！持这种过激主张的人越来越多了。

“主张遵守神的旨意的人和主张反抗神的人先是争论，而后发展成正面冲突。内战持续了整整100年，而且远比从前祖先们发动的战争还要残酷和悲惨。他们谁也不肯让步，谁也不肯认输，最后好不容易才达成了停战协定。大西洋的中心有一条海岭，从南极延伸到北极，刚好把大西洋分成两半。两派人就以这海岭为界，分裂成为东西两部分，东亚特兰蒂斯人力主等待神的宽恕，而西亚特兰蒂斯人则主张反抗神的旨意。”

“原来是这样……”鲁滨逊点点头。真是比漫画书还要新奇好玩的故事啊。特别是大西洋底下有一条长长的山脉，从南极一直延伸到北极，这件事他还是第一次听说。一直以为海底非常平坦，原来还有山脉呀。

“从此亚特兰蒂斯就一直处于分裂状态。我是东亚特兰蒂斯的公主，撒乌里乌斯是西亚特兰蒂斯的王子。”

“哦，那么那家伙停止追击的地方就是你们的分界线啊。”

“是的，那里就是警戒线。不管是谁，只要越过警戒线，对方的城市里就会警报大作，军队出动。”

“原来如此……”

“更可悲的是，停战已经 5 年了，两边的人还是视对方为仇敌，一有机会，大家便互相嘲讽、辱骂。有好几次都非常危险，差点引发战争。”

“两边的人都有不对之处啊，这么下去……”

鲁滨逊表示遗憾地啧啧了几声，突然自觉地闭上了嘴。现在分明不是说亚特兰蒂斯人的坏话的时候。他突然觉得，东西亚特兰蒂斯的故事跟韩国与朝鲜的情形还真有点像呢。一样的同胞手足，一样的骨肉相残……

“你说得对。其实大家都是同一个民族，为什么要一直吵个不休呢？一个巴掌拍不响，双方都有错的地方。现在，东西双方都在不断研发新式武器，警戒线附近埋有无数的水雷，就像海岸上的沙子那么多。”

“要那么多水雷干吗呢？你们以后回到陆地不就用不上了吗？”

“不，这些武器以后也用得着。”

“用在什么地方？”

“你知道亚特兰蒂斯人为什么绞尽脑汁想回到陆地上去吗？”

“嗯……因为你们被困在海洋里太久了，厌烦了呗。”

“你的回答只能给50分。”

“那还有50分呢？”

玛尔丽加没有立即回答，她的表情很复杂，眼里充满了忧伤，脸上掠过一缕惭愧之色。

过了片刻，她给出了一个意想不到的回答：“是因为征服的欲望。”

“你说什么？”

“亚特兰蒂斯人企图重新发动战争，支配全世界。他们一直都没有放弃征服的欲望，反而日益强烈。一万年间被囚禁在海底的怨恨与憎恶更加激发了这种征服欲。”

“太可笑了，简直不像话嘛。要换了以前，或许还有点可能，但是现在人类的军事力量已经很发达了，你知道世界上有多少可怕的武器吗？有核武器，有导弹，还有火箭……”

“那算什么？”玛尔丽加轻轻来了一句。

鲁滨逊惊讶地看着她。她一定不知道核武器是什么吧？居然口气这么大。

玛尔丽加说：“原子能也好，放射能也好，对亚特兰蒂斯来说，不过是极其普通的能源而已。早在几百年前，亚特兰蒂斯人就已经研制出核武器，比现在人类所拥有的核武器威力强大几十倍。他们还有能使敌人的雷达和卫星失去作用的强妨碍电波。你以为亚特兰蒂斯的水下城市和潜艇是怎么避开人类的探索雷达而不被发现的呢？”

“……”

“这些能力还只是冰山一角而已。当然，亚特兰蒂斯人的能

力比起波塞冬来，还是差得多了……”

“波塞冬？”

“西亚特兰蒂斯人曾多次试图重返陆地，都因为波塞冬发起的大海啸而宣告失败。阻碍亚特兰蒂斯人支配世界的不是人类的防御能力，而是波塞冬的力量。这次你明白了吗？”

鲁滨逊哑口无言，呆呆地望着玛尔丽加的脸。原来世界上还有这样的事情，一直以为只在电影或者漫画里才会出现……这么看来，人类的敌人不仅仅是地球之外的行星，海底世界也存在着隐患呢。万一有一天他们真的回到了陆地上……

他觉得全身都起了鸡皮疙瘩，美丽的大海在他眼里，瞬时变成了一个可怕的怪物。

你知道吗？

大西洋中央海岭从北极的冰岛延伸到南极大陆，纵贯南北，恰好将大西洋一分为二，全长15000千米，比把喜马拉雅山脉、落基山脉、安第斯山脉的长度全加起来还要长。中央部分的高度大约为4千米，是长白山的1.5倍，海岭中部有一条长长的V字形溪谷，深2千米，最宽处达50千米。

确定了大西洋中央海岭的存在以后，科学家们立即将调查范围扩展到太平洋和印度洋，经过20多年的漫长调查，于1977年绘制完成了海底地貌图。海底山脉呈环状绵延穿过三大洋，全长65000千米，是地球赤道长度的1.5倍。海岭中部的溪谷是地球内部能量——熔岩的释放口，如果用线将海底地震的发生地点连接起来，我们会发现它与海底山脉的形状恰好是一致的。

百慕大的真相

现在，鲁滨逊的疑问只剩一个了。其实他心里已经猜到了几分，但又希望事实不是这样的。他小心翼翼地问：“那么百慕大海域里发生的事故……都是西亚特兰蒂斯人干的吗？”

玛尔丽加沉重地点点头：“是的。”看得出来，她也不希望这样的事情发生。

“是吗……我还以为……”鲁滨逊难以掩饰心中的怅然，抬眼望着天花板。能够将飞行中的飞机击落，使巨大的轮船沉没，他们的能力真是不可估量啊。这时，他又想起一个疑问来：他们在制造事故的时候，怎样做到不留一点蛛丝马迹呢？

“这是怎么做到的呢？”

“什么怎么做到的？”

“我是说他们是怎么制造那些事故的呢？又不可能用枪把飞机打下来，难道……是利用巨大的磁场把飞机吸过来吗？”

“你呀，从小一定没好好读书，瞧你给的都是些什么答案呀，真是荒唐。”

听玛尔丽加这么说，鲁滨逊不由又生气起来。竟敢说我不好好读书，你难道就很了不起吗?

玛尔丽加仿佛已经猜透他的心思，说:“别以为我是在故意取笑你，我在皇家学院读书的时候，回回都是第一名呢。”

她的一句话还真奏效，鲁滨逊乖乖地闭上嘴巴不吭声了。

玛尔丽加微微一笑，换了温和的口吻，开始解说起百慕大的奥秘来:“那是气体的作用。”

“气体？”

“百慕大三角海域的底部有巨大的气体层。在高压、低温的条件下，海水中的水分子和沼气分子受压结合，成为冰状的沼气水合物……对了，你不会听不懂我在说什么吧? 就算再怎么不用功读书，这点常识总该懂吧？”

“当、当然啦，我全听得懂。”

“那好，你猜一猜，如果那些气体层分解，一下子冲上海面，会怎么样呢？”

“这个么……会有气味吧，还有……”鲁滨逊绞尽脑汁。上升到海面？对了！那不就跟在澡堂或者游泳池里放个屁一样的道理吗? 那么……

“泡沫！就会咕咚咕咚冒出许多泡沫！没错吧? 这我可是有经验的。”

“不错。但这还不是最正确的答案。”

“还会有什么呀？”

看着一个劲儿抓耳挠腮的鲁滨逊，玛尔丽加知道再也不能指望他想出点什么来了，便公布了答案。

“听好了。水中掺杂了大量的气体，体积就会增大，密度相应减小。然后又怎么样呢？”

“行了！不知道！我没好好念过书，别再问我了！”

“嘻嘻，让我告诉你吧。密度减小，水的浮力不也就变小了吗？结果……”

话音未落，“这下我知道了！”鲁滨逊突然大叫一声，打断了玛尔丽加的话。听到这里还不知道，还算是个人吗？跟石头差不多了。他得意扬扬地说：“浮力减小，船无法继续浮在水面上，就沉下去了，对吧？”

“对了。那么飞机呢？”

“飞机？飞机……”飞机和水的浮力没有关系呀。那又是怎么回事呢？鲁滨逊不由又挠起脑瓜子来。

“飞机坠落的原因同样也是气体。大量的气体同时上涌，冲到天上，进入飞机的引擎，使其出现故障。即使机长能够及时逃离这一区域，幸免于难，他也根本不可能明白出了什么事，因为时间一过，气体就消失了，就像你刚才放的那个屁一样。”

“……”

刚才是脚臭，现在又是放屁，连连被人取笑，鲁滨逊不禁闹了个大红脸，连忙把头转开，佯装望着别处。今天这人可真丢大了！

这时他又冒出个奇怪的想法，猛地转过头来：“可是，如果是这些气体的缘故，那岂不是跟亚特兰蒂斯没有什么关系了？气体又不是你们故意排放的……”

刚说到这里，他猛地住了口，紧紧盯住玛尔丽加。玛尔丽加无言地点点头，好像在说：你猜对了。

“真的是你们故意弄的？为什么？为什么要这么做？”

“只要有轮船或飞机经过，亚特兰蒂斯人就放出几百万条小生物，让它们在气体层里钻来钻去，搅动气体层，使气体冲上天空。有时候，他们还用带有强吸引力的机器，把空中的能量引向大海，制造出下沉气流。”

“天哪……”

“还有更惊人的呢，要听吗？”

“什么？”

“他们还任意变动海底的土壤，使气体层得以形成。”

“啊……”

“百慕大海域是西亚特兰蒂斯人的重要据点。他们生怕别人发现自己的踪迹，就想尽各种办法，使这里成为谁也无法通过的地方。撒乌里乌斯一派在事故发生以后，就马上出动，巡视周围海洋，清除飞机轮船的残骸，若有幸存的人，也会被他们干掉。”

“等等！照你这么说……”鲁滨逊瞪大了眼睛。他想起了几天前在泡沫海上经历的噩梦。原来是那帮家伙放出来的气体啊！当时附近的轮船飞机肯定全遭殃了。还有，撒乌里乌斯一定是出来寻找幸存者的时候碰到了自己……

他无法置信地摇了摇头，自己居然能够从那帮又野蛮又残忍的家伙手中逃出来，真是命大。可是他的心情一点也不愉快，好像有一块大石头沉甸甸地压在心上。

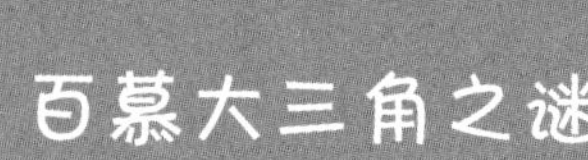

百慕大三角之谜

科学家是如何揭开百慕大三角海域的奥秘的呢？让我们来看看专家的解释。

可怕的“无形飙”

对于那些在百慕大附近出海的船员们来说，他们有一个共同的噩梦，那就是在阳光灿烂、万里无云的晴朗天气里，突然刮起的无形飙（无云暴风），人们把它称为大海的诅咒。

1961 年“阿巴特洛斯号”轮船沉没，九死一生幸存下来的船员们一致证明，当时平静的大海上突然掀起巨大的暴风，人们根本就来不及反应，转瞬间船就沉没了，而且一两分钟以后，暴风就消失得无影无踪，仿佛从来不曾出现。那天的天气预报是“晴天”，从附近经过的其他船上的人都说根本没见到什么暴风，甚至连一丝微风都没有。

这次的暴风秘密在 1975 年被揭开。在调查一起同样状况下发生的坠机事故的过程中，科学家发现，事故是由名为“微爆炸”的强烈下沉气流造成的，而产生这一气流的原因是太阳热。

在一年中最炎热的 6 ～ 8 月间，热带海洋里集聚了大量的太阳辐射热，水温上升到30℃左右。海洋表面的热能上升到大气圈，从墨西哥到百慕大一带区域就出现了一片巨大的积雨云，它就是无形飙发生的根源。

在这片积雨云上，有时会产生风向垂直的强风，风速可以达到360千米/时，破坏力比超强台风还要大。如果飞机遇到这种暖气流，就会失去平衡，像纸飞机一样无力地坠落下来。暴风一遇到海洋或者陆地便四下扩散开去，在附近航行的轮船也就难逃沉没的厄运。

这种暴风影响的范围很小，而且在短短的1～5分钟内就会消失得无影无踪。1961年致使“阿巴特洛斯号”沉没的就是它。科学家推测，发生在百慕大的事故有很大一部分都是由于这种暴风造成的，在百慕大附近出海的船员们中间盛传的无形飙的故事也源自于此。

恐怖的海底气体

无形飙固然是个重要的线索，但要揭开所有的谜底，单靠它是不够的。暴风能够使飞机坠落，但不会使它爆炸，而且如果仅仅是风在起作用，飞机的残骸应该能够在附近什么地方找得到，但是百慕大一带所有失事飞机的残骸从来没有被发现过。因此，这片海域上频频发生的飞机空中爆炸事故，还有第二大原因。

最早对这一问题给出科学性说明的，是美国的理查德·麦克基弗博士。他认为，原因正是气体：海底的大量沼气是百慕大三角海域失踪事件的元凶。

在温度低达 -50℃的海底，沼气分子和水分子结合后产生一种冰状物质，遍布海底，它的名字叫作沼气水合物。这种物质即使只是一小块，也蕴含着大量的气体，极易起火。比起其他地方，百慕大海域气体层的规模要大得多。

沼气水合物平时非常稳定，但是一旦海水的温度或海底的地质发生变化，气体层的上部就会出现空洞或裂缝，使得气体喷发出来，变成泡沫，上升到水面上。水面出现无数巨大的水泡，如同沸水一般不停地翻滚。于是，海水的密度急剧降低，浮力减弱，无法承受常规设计的船体的重量，正经过这一区域的船很快就会沉没。

理查德·麦克基弗博士认为，飞机爆炸也是由于这些沼气。

沼气比空气轻，会快速升向高空，并大量进入飞机引擎，这些可燃性气体就会导致飞机爆炸。而后，沼气很快消散，无影无踪，飞机的残骸也不会留在水面上，而是全部沉入泡沫海洋里，这就是百慕大海域飞机爆炸的真相。

那么，为什么只有百慕大三角区才会如此频繁地释放出沼气来呢？1997年，海洋生物学家菲歇尔博士在潜艇探险过程中发现了一种小虫子，他认为，栖息在墨西哥湾和百慕大海域附近的这些海底小虫不断啮咬海底的气体层，造成了沼气的排放。看来，如果事实真是这样，科学家必须早日发明出强力有效的海底杀虫剂。

气体大喷发

继理查德·麦克基弗博士的研究之后，世界各国对沼气水合物的存在产生了莫大的兴趣。人类正面临着煤和石油等资源日益枯竭的难题，沼气也许会成为未来的重要能源。每立方米的沼气水合物能够排放出相当于自身体积164倍的气体，这是多么惊人的数字！沼气水合物的主要成分是碳，全球储藏量可达10兆吨，比石油和煤炭储藏量的总和还多两倍。

但是，沼气水合物的危害也不可小觑。它属于温室气体，能够造成比二氧化碳强20倍的温室效应，可谓是海底的定时炸弹，能在顷刻间将地球引向毁灭。

挪威海上有100多个直径达3千米的巨大的火山口。这是8000年以前冰川世纪末期发生气体大喷发的遗迹。当时由于冰川融化，暖流使附近大陆架上的沼气水合物层发生龟裂，3500 亿吨沼气一下子排放到空气中。这次大喷发之后，地球的温度开始急剧升高。

今天，如果同样多的沼气排放出来的话，会造成什么样的后果呢？3500 亿吨不过占沼气水合物储藏总量的 3%，但是它会使地球的温度在 10 年内上升 4℃。海水变热会导致更多的气体喷发，人类的生存将面临严峻的挑战。

观察新近拍摄的海底勘探照片，我们会发现海底有不断冒出的气泡，这可以说是地球向人类发出的一种警告。公海污染、大气污染等导致的全球气候变暖现象正在“冒犯”这些休眠中的沼气水合物。如果地球继续以现在的速度持续变热，冰川不断融化，将有可能引发比 8000 年以前更可怕的气体大喷发。沼气水合物究竟会是 21 世纪的新型能源，还是会将人类引向灭亡的定时炸弹呢？

答案藏在海洋里

无形飙论和海底沼气论是关于百慕大三角的各种解释之中相对比较周密、比较令人信服的，但也不能解开所有的疑问。特别是对于罗盘失效的原因，谁也无法给出圆满的解答。是由于海底埋藏的大量金属的磁场作用：还是像宇宙空间里存在着黑洞一样，海底存在着“蓝洞”，将所有的东西都吸进去了；抑或是真的存在着亚特兰蒂斯的后裔或外星人这样的生命体？答案恐怕只有大海知道。

终于抵达亚特兰蒂斯

潜艇的速度逐渐放慢，最后终于停了下来，看来，神秘的亚特兰蒂斯终于到了。鲁滨逊突然觉得嘴巴发干，心里莫名地忐忑不安起来。

“先生，请您戴上这个。”那拉丽递给他一个透明的、又薄又轻的“头盔”。鲁滨逊把它戴在头上，罩住自己的嘴。奇怪，呼吸到的空气是那么清新，他简直以为自己置身于山林之中了。

“这是为那些在水中呼吸有困难的老人或病人制造的吸氧器。呼气时呼出的二氧化碳能够被内部的一种特殊物质不断转换成氧气，有了它，你就可以一辈子在水里自由地呼吸了。”玛尔丽加解释说。

“哇，这么神奇……”鲁滨逊半信半疑地走出潜艇，来了几个深呼吸。真的，感觉就像在陆地上一样舒服。他不禁再一次为亚特兰蒂斯发达的科学技术所叹服。

“现在我们正往城里去。别害怕，尽量放自然点，别忘了把你的脚藏好。”玛尔丽加拉着鲁滨逊的手，慢慢地游了起来。鲁滨逊仿佛感觉到一种电磁波从手指上传来，他舒舒服服地闭上眼睛，任由玛尔丽加牵引着自己。

不一会儿，他们来到一所戒备森严的哨所前面，这里看起来像是进出城门的关口。

“站住！”一个手里提着短棍的卫兵喝了一声。那条短棍就像孙悟空的金箍棒似的，突然伸得老长老长，拦住了他们的去路。

哇——不会吧，一个小小卫兵的武器都这么神奇！鲁滨逊不住地打量那条短棍，简直怀疑自己是不是在看科幻电影。

这时，卫兵啪地一个立正，毕恭毕敬地向玛尔丽加敬了个礼，大声说道：“敬礼！公主您好！”

“塞乌里乌斯，今天你辛苦了。”

“呵呵，这有什么，都30年了。咦……”塞乌里乌斯用怀疑的目光将鲁滨逊上上下下打量了一番，问道，“这位是……”

“哦，他是新来的潜水艇清洁工。”

“是吗？我好像以前没见过他……喂，你叫什么名字？”

“我？我叫鲁……”哎呀！鲁滨逊急忙打住。说自己叫鲁滨逊，不就全露馅了吗！他的脑子飞快地转起来，想给自己取一个跟这里的人差不多的名字。

“我叫鲁，鲁加里乌斯。”

“鲁加里乌斯？你以前有没有见过我？”

“当然啦，谁不知道您是鼎鼎有名的塞乌里乌斯大将军啊。”还好记住了他的名字，鲁滨逊想。把区区一个看门的小卫兵恭维成大将军，他总该满意了吧？

可塞乌里乌斯还是一副半信半疑的神情："我哪里是什么将军呀，一个看门人而已。你这个人真奇怪。"

"啊？哦，我……其实我是个病人。"

"病人？"塞乌里乌斯看看鲁滨逊戴着的病人专用的吸氧器，这才释然地点点头，"看来病得还不轻啊，两眼无神，脸色苍白……咦，你的脑袋真奇怪，怎么还长出几根毛来了。啧啧，真可怜，都病成这样了。"塞乌里乌斯一脸同情之色。

他这才收起"金箍棒"，做了个通行的手势。鲁滨逊冷汗直冒，急忙跟着玛尔丽加她们通过了哨所，耳边还传来塞乌里乌斯的自言自语："鲁加里乌斯……真是名如其人……"

你知道吗？

水中生物会恰当地运用浮力来维持生命，其中代表性的例子就是鲸鱼。鲸鱼一旦上岸就会窒息而死，这是因为它们重达几百千克至十余吨，肺承受着巨大的压力。但是因为有浮力作用，在水中的时候它们就可以自由呼吸。平时在生活中我们也有这样的体会：太沉而提不起来的物体，放到水里就感觉变得很轻了。

许多人都以为珊瑚是植物，但其实它们是动物。海葵的亲戚——一种名叫珊瑚虫的腔肠动物制造了珊瑚。它们利用海水中的化学物质做成外壳来保护自己，这就形成了珊瑚。大规模生长的珊瑚叫珊瑚礁，热带海洋里经常可以看到美丽的珊瑚礁。它们通常是空心的，因为曾经生活在里面的珊瑚虫早就已经死亡。

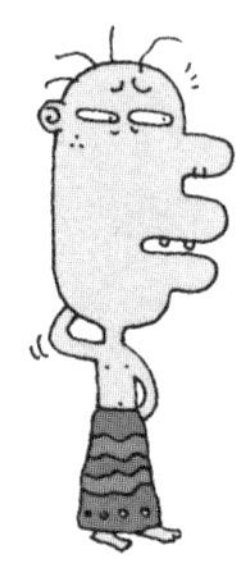

波塞冬的脸

走进城里，只见到处是断壁残垣，满目疮痍，展现着大陆沉没时的凄惨景象。鲁滨逊纳闷地问玛尔丽加："你们为什么到现在都不清理一下这些废墟？"

"因为这是证据。"

"证据？"

"这是历史的证据，告诉我们违抗神的旨意会有多么惨痛的代价。另外，我们也在替愚昧的祖先忏悔和赎罪。"

哦，原来这是一种教育手段啊。鲁滨逊点点头，又看了看那些废墟。

灾难留下的，不仅仅是倒塌的建筑物，还有扭曲、断裂的坦克、马车、军舰……所有的东西都已经生锈，被水草覆盖着，鱼群在中间游来游去。

"这里难道是军需品仓库吗？怎么有这么多坦克和军舰？"

"多？就剩这么点了，大部分都已经腐烂了。"

"啊？"

“亚特兰蒂斯人曾经拥有非常强大的军事力量，一万辆坦克、三万辆马车、几千艘军舰……这些只不过是九牛一毛。”

鲁滨逊惊讶得合不拢嘴。他抬眼四顾，看到远处有一个小斜坡，坡上有残留的建筑物，看得出曾经雄伟壮丽，周围有几条数百米宽的沟渠。“那是什么？”他问道。

“那是运河。沉没以前，这里是亚特兰蒂斯的首都。这三条大运河像同心圆一般环绕着斜坡上的神庙，它们是连接大陆和海洋的通道。”

“这么说，那斜坡上倒塌的建筑，就是神庙了？”

“对，那是供奉海神波塞冬的神庙，现在已经倒塌了，以前可是世界上最壮观的建筑，所有的墙壁都是用黄金砌成的。”

“哇，四壁都是黄金?！”

“这里曾是梦幻之城。运河上熙熙攘攘，挤满了从各地来的船只和商人，道路两旁是美丽的公园和学校，所有建筑物的墙壁都用豪华的宝石装饰，一派繁华景象。夜晚，从神庙所在的斜坡上俯视全城，眼前的风景美得就像梦一样。”玛尔丽加微微阖上眼睛，仿佛在追忆亚特兰蒂斯早已消逝的旧貌。

鲁滨逊望着她，心里觉得有几分酸楚。他没说话，默默地看着眼前的景象。

“我们走吧。”

“去哪儿？”

“神庙啊。来到亚特兰蒂斯，当然要去敬拜一下波塞冬了。”

“等等，那是什么？是比目鱼还是鲽鱼？”鲁滨逊故意顾左右而言他。不知怎的，他不想到神庙去。我凭什么要向波塞冬磕头呢？他想。

结果，他拗不过玛尔丽加，还是被硬拽过去了。

神庙气势雄壮，不愧为当年最伟大的建筑。虽然天花板都已塌下来，墙壁也倒了一半，但还是有种无形的威慑力，完全可以想见当年的巍峨气象。鲁滨逊像头回进城的乡巴佬一样，畏畏缩缩地东张西望。

神庙的祭坛上，竖着一尊巨大的铜像。波塞冬手持三叉神戟，骑在一匹鬃毛飞扬的白马上，神态庄严，威风凛凛，仿佛在准备随时发号施令。

"神啊！"玛尔丽加在铜像前缓缓跪下,凄凄切切地祈祷起来，"请饶恕我们的罪过吧！请告诉那些还沉醉在虚幻妄想里无法自拔的西部同胞们，和平是多么宝贵。请赐给我们智慧和勇气，让所有的亚特兰蒂斯人能够团结一心，从惩罚里获得解脱……"她声音颤抖，最后小声啜泣起来，瘦弱的肩膀一耸一耸的。

鲁滨逊心里涌起无限愤懑：波塞冬，你算什么神，竟然让善良的玛尔丽加这么伤心地哭泣?

望着铜像出神的鲁滨逊突然皱了皱眉毛。波塞冬的脸看上去有点面熟，好像在哪儿见过似的。他闭上眼睛，在记忆里搜索了片刻。

"对了！"

他大叫一声，匆匆忙忙掏出一样东西来。那是他一直挂在腰间的加佛莱昂给的牛皮口袋。解开袋口，一道彩虹般绚烂的光芒射了出来，将周围照得雪亮。玛尔丽加惊叫一声，回头一看，不由从地上站了起来。

神殿内的景象都被照亮了。他们俩像铜像一般立着不动，只有几条鱼儿在石柱中间穿行。

"想不到真是这样……"

鲁滨逊呆呆地望着手中光彩夺目的石头。深凹的眼睛，高高的鼻子，卷曲的头发和胡子，石头上雕刻着的这张脸和眼前的铜像分毫不差。

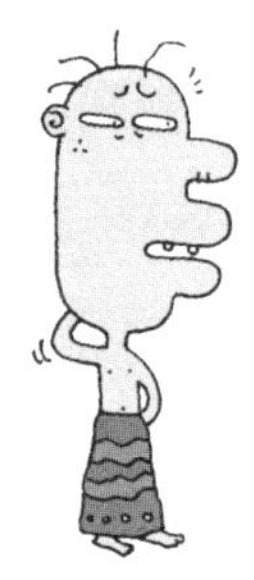

刻在神庙石柱上的字

加佛莱昂曾经说过，这块石头和亚特兰蒂斯有莫大的关系。他的话原来是真的，那么他说的只有石头上刻着的这个人才能使亚特兰蒂斯复活的话，看来也没什么可怀疑的了。除了海神波塞冬，还有谁能够给那一万年的惩罚划上休止符呢？

“真难以置信，你居然会有传说中的奥里哈肯宝石，而且上面还刻着波塞冬的脸！要知道，大陆沉没以后，谁也没找到这种宝石。”玛尔丽加兴奋地说着，但是鲁滨逊什么也没听进去，他的耳边一个劲地回响着加佛莱昂所说的玛雅的预言：这张脸的主人公睁开眼睛的那天，就是亚特兰蒂斯复活的日子。可是，他怎么也想不明白这句话是什么意思，波塞冬的眼睛怎么会睁开呢？

“问你一个问题，波塞冬是瞎子吗？”鲁滨逊问。

“这是什么话？神怎么会是瞎子呢？”

“可是……”

禁不住玛尔丽加的不断追问，鲁滨逊便把玛雅的预言告诉了她。玛尔丽加听了，脸上一副哭笑不得的样子，摇头说道：“真荒唐。

要想亚特兰蒂斯复活，唯一的办法就是揭开波塞冬的神谕之谜。”

“神谕？”

“那是在2000年前——那时亚特兰蒂斯已经沉没足足一万年了——东亚特兰蒂斯的国王和百姓向神进行绝食祈祷，求神宽恕亚特兰蒂斯人以往的罪孽。就在大家都快要饿死的时候，神通过祭司长降下了一道神谕，说只要揭开其中奥秘，就可以放我们回到陆地上。”

“真的吗？”

“当然。他还说，要把揭开谜底的人任命为新的国王呢。”

“是吗，这太好了！”

鲁滨逊怪叫一声，两眼放光。要说神谕，我在亚马逊丛林里不是已经成功破解过一回了吗？连奶奶盖亚的神谕都不在话下，还怕孙子波塞冬的神谕不成？他顿觉浑身是劲，斗志昂扬。

“可是，无数智者贤人为了破解这个神谕绞尽了脑汁，谁也没有成功。不仅是我们，西亚特兰蒂斯人同样无法解开这个奥秘。最后，他们声称自己被神骗了，便把神庙全部摧毁。就这样，2000年过去了，再也没有人把希望寄托在神谕上面。”

“你快把那个神谕的内容说给我听听。”

“干吗？”

“什么干吗，当然是想解解看啦。”鲁滨逊跃跃欲试。

“你？”玛尔丽加扑哧一声笑起来。她的神情仿佛在说，真可笑，你一个书都没好好念过的人，怎么可能解开这个谜？但是看鲁滨逊那么一本正经，她还是告诉了他。

“喏，你看到那边的石柱了吗？”

“在哪儿？那中间的石柱吗？”

“对。那上面就刻着神谕的内容呢，想看的话就尽管去看吧。不过你能看出什么名堂来呢？”

话音未落，鲁滨逊已经几步蹿了过去。因为年代已久，刻在石柱上的字迹有些模糊，但是还能看清楚内容。这就是带给亚特兰蒂斯人希望的同时又令他们万分绝望的神谕。它是这么写的：

借大美洲豹的智慧和赫拉克勒斯的力量，
用神的眼睛，揭开大海的秘密。
世界的肚脐就在那大海上。

念着念着，鲁滨逊的眼睛一亮。

你知道吗？

珊瑚能够通过小的植物（藻类）互相吸附在一起，最后变成规模庞大的珊瑚礁。世界上最大的珊瑚礁是澳大利亚的大堡礁，长度超过 2000 千米，面积达 20 万平方千米，几乎是冰岛的两倍。据说从月球上看地球，人眼能够识别的只有两样东西：中国的万里长城和这个大珊瑚礁。

珊瑚礁一直在不断地增大，但是它生长的速度非常缓慢，一年只能长 2.5 厘米左右，要形成巨大的珊瑚礁，最少需要经过几百年。观察珊瑚外壳的照片，可以看到上面有细微的年轮，就像树木一样，珊瑚的年轮也是每过一年就增加一圈。据说澳大利亚的大珊瑚礁已经至少有 1800 万岁的高龄了。

为了亚特兰蒂斯的复活

“那个叫加佛莱昂的人真的这么说？”玛尔丽加问道。

“是啊，他说他是在大美洲豹神庙里找到这块石头的。”

“那……”

“没错，这块叫什么奥里哈肯的石头肯定跟神谕有什么关系。”

鲁滨逊苦苦思索起来。大美洲豹神庙已经对上了，“借赫拉克勒斯的力量”呢……赫拉克勒斯，加佛莱昂临死之前不也提到过这个名字吗？他还说了个“家”字，到底是什么意思呢？唉，他当时要是能慢点咽气，多说一句就好了，我现在脑袋都快想破了。

“会不会……”他沉吟道。

“什么？”

“赫拉克勒斯的家在哪儿你知道吗？”

“你这又是什么话？”

“我想了一会儿，觉得一定要找到这个赫拉克勒斯的家才行。加佛莱昂明明说过，让我去找赫拉克勒斯的家。”

“赫拉克勒斯是个满世界转悠、冒险的人，哪里有什么家呀。”

“可是……”

“你还记得别的什么吗？”玛尔丽加一面半信半疑，一面又隐隐寄托了点希望在鲁滨逊的故事上。如果他真能解开这个谜，亚特兰蒂斯人不就可以回到那梦寐以求的陆地上去了吗。她的眼里燃起了两簇希望的火焰。

“加佛莱昂还说了什么？对了，石柱！石柱！”鲁滨逊大声叫了起来。

“石柱？”

“是啊，怎么，你想到什么了吗？”

“笨蛋，当然是赫拉克勒斯的石柱了。”

“那是什么？”

“我说你没好好念书吧，连这都不知道。听好了。赫拉克勒斯在他认为是世界最边缘的地方立了两根石柱，一根在黑海附近，还有一根在直布罗陀海峡。人们经常把那里叫……”

“等等！你说第二根石柱在哪儿？”

“直布罗陀海峡啊。”

“对了，肯定就是那儿！”

鲁滨逊猛地跳起来，发出一声欢呼。当时自己肯定是听错了，加佛莱昂说的不是什么“家”，而是“峡”，直布罗陀海峡！

“直布罗陀海峡，石柱，还有赫拉克勒斯，没错，那一定就是加佛莱昂说的地方。那里是不是狭窄的海洋和宽阔的海洋交汇的地方？”

“是啊，那儿是连接地中海和大西洋的地方。怎么了？”

“OK！就是那儿！哈哈……”鲁滨逊愉快地笑起来。虽然还没有完全揭开神谕之谜，但至少已经抓住了一点重要的线索，顺藤摸瓜，一定能揭开最终的谜底，就像那次在亚马逊丛林里一样。

“好了，我们快走吧！”他催促道。

“去哪儿？”

“去找赫拉克勒斯的石柱啊。”

“那里会有什么东西？”

“这个我也不知道，不过肯定有什么东西的。我们去看看不就知道了？至于‘神的眼睛’，一定也有什么意思。”

鲁滨逊又看了一眼刻在石柱上的字，就快步走出了神庙。他要马上坐潜艇赶到直布罗陀海峡去。

玛尔丽加紧跟在他后面跑了出来，她眼中希望的火光更加明亮了。

你知道吗？

赫拉克勒斯被赫拉的阴谋所迫害，接受了12项艰苦的任务。他历尽艰险，凭自己的勇气和智慧击退了无数的恶魔和怪物，最后来到了直布罗陀海峡。他认为这里是世界的边缘，就在直布罗陀海峡和黑海附近分别立起了两根巨大的石柱，这就是“赫拉克勒斯的石柱”。后世的人们认为，古希腊人认为地中海是唯一的世界，这很可能只是他们留下来的传说。

据说，最初的美元符号跟今天的“$”有一点小小的差别，上面划着两根竖线。对于它的来由有好几种说法，其中一种说法认为，两根竖线表示赫拉克勒斯的两根石柱。因为石柱代表的是世界的边缘，所以以此来表示美元这种货币是全世界所通用的。可能是因为划两根竖线太麻烦了吧，今天人们就将它省略为“$”。

Stage4
破解
海神波塞冬的
神谕
为了帮助亚特兰蒂斯人，
鲁滨逊决定全力以赴去解开神谕中的谜题，
但“世界边缘”和“世界的肚脐”
到底是指哪里呢……

赫拉克勒斯的石柱

潜艇飞快地往东驶去，鲁滨逊觉得自己仿佛坐在飞出枪膛的子弹上面。他再次体会到亚特兰蒂斯人惊人的科学技术水平。

船上只有三个人：鲁滨逊、玛尔丽加和那拉丽。玛尔丽加本想向皇室借用一个大规模勘探团，却被鲁滨逊拦住了。万一他也无法揭开谜底，亚特兰蒂斯人不就太失望了吗。那拉丽呢，一直死死拽着鲁滨逊的衣角不放，又哭又叫地一定要跟着去，鲁滨逊也拿她没办法。

“到了直布罗陀海峡以后该怎么办呢？”玛尔丽加问。

“我想应该到陆地上去，才能找到赫拉克勒斯的石柱吧。”

“石柱到底在哪儿呢？”

“我怎么知道？”鲁滨逊没好气地回答，把视线转到窗外。他的心情正跟玛尔丽加一样茫然，既不能跟别人打听，又无法从地图上找到石柱的位置。

不一会儿，潜艇就抵达目的地了。

“怎么办？要不，先到山顶上去看看？”鲁滨逊说。

“先把海岸线巡视一遍，你看怎么样？”

“你怎么知道石柱在海边还是在陆地上？”

“不是说石柱立在世界边缘吗？那肯定是海边了。”

“好像有点道理。”

三个人把海峡附近的海岸线仔仔细细搜寻了一遍，但是没有什么看上去像赫拉克勒斯的石柱的东西。不觉中，夕阳已经西沉，浅浅的暮色笼罩在海面上。

“怎么回事？没有石柱，至少也该有个树桩什么的呀，难道赫拉克勒斯骗人不成？”

“不会吧，他可是宙斯的儿子啊。”

“你想想，他怎么会认为这里是世界的最边缘呢？从这里明明可以看到宽阔的大西洋。”

“这个么……”玛尔丽加顿住了。是啊，为什么赫拉克勒斯会相信这里就是世界的边缘呢？

这时，那拉丽小心地开口说道：“会不会是那时候还没有大西洋啊？”

哈哈——无知！鲁滨逊嘲讽地瞥了她一眼。她缩缩肩膀，伤心地垂下了眼帘。一心倾慕的鲁滨逊用如此蔑视的眼光看自己，她可真是伤心坏了。

“那拉丽，拜托你安静点行不行？人家头都疼死了，你还添乱……”鲁滨逊不屑地说。

“不，”玛尔丽加突然两眼放光，打断了鲁滨逊的话，“那拉丽的话也有道理。”

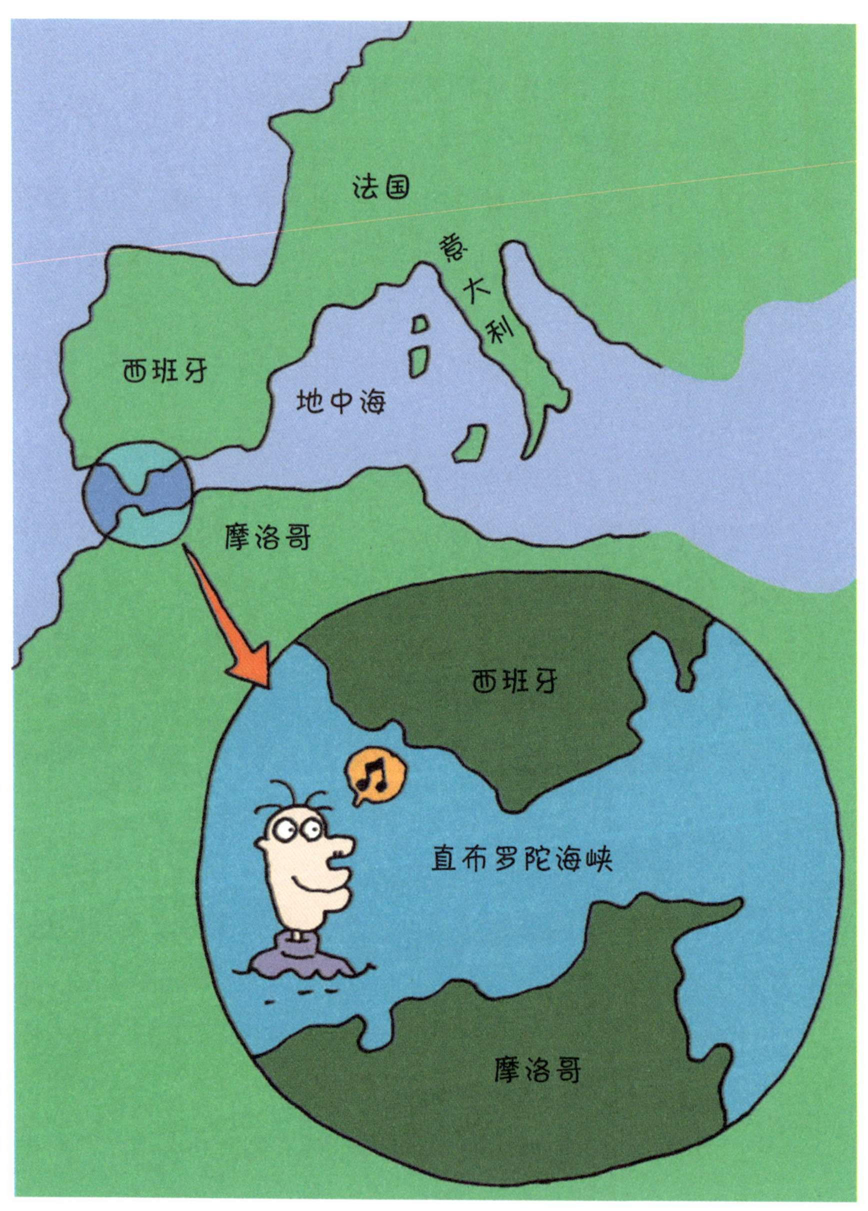
法国
意大利
西班牙
地中海
摩洛哥
西班牙
直布罗陀海峡
摩洛哥

“什么？”

“你也知道，地球上曾发生过好几次剧烈的地壳运动。高山下沉到海里，海底变成陆地……如果赫拉克勒斯来的时候，那里不是海峡而是陆地呢？那当然就看不见大西洋了，不是吗？那样的话，那拉丽不就说对了吗？”

“可能吗？”鲁滨逊望着薄暮笼罩下的海峡。海峡的北方是欧洲的伊比利亚半岛，南部是非洲的摩洛哥，大西洋的海水穿过其间，慢慢流向地中海。

“如果没有海峡，大西洋和地中海岂不是隔开来了？”

“当然了。”

“海峡上下的陆地都连在一起？”

“是啊，说不定当时它们还是同属于一座山的两座山峰呢。”

“那么赫拉克勒斯到底把石柱立在哪儿了呢？”

“当然是山脚下了，先生。”不等玛尔丽加开口，那拉丽抢着答道。有了玛尔丽加的支持，她显然又来劲了。

“为什么？也可能在山顶上嘛。”

“这不可能，如果他跑到山顶上去立石柱，就能看到大西洋了，那么，他就不会认为这里是世界的边缘了。”

哇——鲁滨逊惊叹地看着那拉丽。看不出来，这傻乎乎的小丫头还挺聪明的。

“太好了，让我们来整理一下。赫拉克勒斯在山脚下立了一根石柱，但是有一天那座山下沉了，那么……”

三个人的目光兴奋地碰到了一起。现在他们都知道下一步该干什么了。山下沉的话，石柱不也就下沉吗？那么他们要做的，当然是去海底搜寻了。

潜艇风驰电掣般飞速下降，不一会儿就到了海底，他们开始紧张地搜索起来。鲁滨逊把脸紧紧地贴在窗上，瞪大了眼睛。

两个小时以后，只听鲁滨逊发出一声欢呼：“在那里！”

这里是直布罗陀深海，到处长满了茂盛的海草。这里曾经是大陆，现在却是海洋。在两个陡峭的斜坡中间，有一片窄窄的平地。

就在那里，耸立着一根巨大的石柱。

黑暗中露出的一线光芒

“真急死人了，怎么越来越费劲呢？”

“是啊，还以为找到赫拉克勒斯的石柱，就能发现点什么了，没想到还是一无所获。”

鲁滨逊和玛尔丽加一脸沮丧地你看看我，我看看你，连连叹气。石柱是找到了，可是左看右看，也看不出来这里藏着什么线索。

“是不是得把这石柱拔起来呀？”鲁滨逊说。

“你以为你是赫拉克勒斯啊？”

“神谕上不也说了吗，什么‘借赫拉克勒斯的力量’。”

“那只是个提示嘛。”

不管怎么说，赫拉克勒斯可是天下第一大力士，他立下的石柱我可拔不出来。要换了末淑还好说一点，她总是那么喜欢逞能。鲁滨逊无奈地望着深深插进地里的石柱。

可能是没睡够的缘故吧，不一会儿，他的目光渐渐迷离起来。

末淑抱着石柱，脸涨得通红，嘴里扑哧扑哧地喘着气，手臂上青筋都快冒出来了。鲁滨逊在一旁攥着拳头，为她呐喊：“好！

再用点力！快了快了，快拔起来了……”

末淑刚把石柱拔出来，鲁滨逊的眼睛就睁开了。原来刚才睡着了，还做了个梦。咦，应该看得到潜艇的天花板才对，怎么眼前漆黑一片呢？这是在哪儿？过了好一会儿，他才明白过来，原来玛尔丽加和那拉丽也睡着了，所以把潜艇里的灯都关上了。

鲁滨逊望向窗外，黑暗中，那根石柱依稀可见。讨厌，看到它就心烦，好不容易找着了，又帮不上我们一点忙！他赌气地将脑袋转了过来。这时他突然瞪圆了眼睛：不对呀，潜艇的灯已经全灭了，石柱应该看不见了才是，这么深的海底又不可能会有阳光或月光。他又一次向窗外望去。过了一会儿，他大声叫道：“起来，你们都起来！”

那拉丽的呼噜声戛然而止。玛尔丽加诧异地睁开眼睛坐了起来，她正想找开关把灯打开，鲁滨逊叫道：“别开灯！你看那边！”

玛尔丽加和那拉丽纳闷地往外看去，两人同时“呀”地惊叫了一声。石柱底下的泥土中有一个小洞，那里依稀透出一线光芒。

“那拉丽！快把潜艇开到那边去。”

“是，先生！”

那拉丽急忙跑向操纵室。伴着低沉的发动机声，潜艇慢慢动起来。潜艇的勘探装置一碰到石柱附近的泥土，一道强光便射了出来，将整个海洋映照得如同白昼。红、黄、绿、蓝……那光芒如彩虹般灿烂。三个人同时叫出声来：“奥里哈肯！”

“真的是奥里哈肯！”

寻找世界的肚脐

现在已经没必要把潜艇的灯打开了。

鲁滨逊把这颗宝石从泥土里挖出来，小心翼翼地放进牛皮口袋，两颗宝石发出耀眼的光芒。他的心中，讶异压倒了兴奋，以前做梦梦见末淑，醒来后总没什么好事，今天梦见她以后居然能有这样的意外惊喜，还是生平第一次呢。

“这么说,这就是神谕上所说的神的眼睛了？”玛尔丽加问道。

“当然啦！你想想，刻在波塞冬脸上的两颗会发光的宝石，不就是神的眼睛吗？你还真以为波塞冬会把自己的眼睛挖出来，藏起来不成？”

“那么现在神谕的秘密已经解开一半了？”

“是啊，现在剩下的是……”

“寻找世界的肚脐。”

“那拉丽，提到肚脐你会想到什么，说出来听听。”鲁滨逊说。

“肚脐？圆圆的呗。”那拉丽说。

“是吗？我的肚脐是长长的。”

“尖尖的。”

“是吗？我的是凹进去的。”

“我说你们俩想得远点行不行？别老惦记着自己的肚脐，想想所有肚脐的共同点是什么嘛。”玛尔丽加说。

三个人把脑袋凑在一块儿，你一言我一语地讨论。鲁滨逊的灵感，玛尔丽加的渊博知识，还有那拉丽的点子，三个人合作，还真没有什么问题解不开的。

“肚脐在人身体的中部，所以世界的肚脐也在地球的中心。”

“对，快把这一点记下来。中心……”

“还有，很可能指的是一个岛，不是说它在海洋上面吗？”

“中心，岛。就这么两点，还是搞不清楚啊。”

“会不会……”那拉丽转动着眼珠子想了好一会儿，才小心翼翼地开口道，“跟带子啦，绳子啦等等，会不会有什么关系呢？”

“什么，带子？”

“肚脐不就是连着脐带的地方吗？脐带是连接婴儿和母体的通道，孩子靠它得到营养，不过出生以后这带子就断了，这时孩子就该吃奶了，所以我的意思就是说……”

“那拉丽！别啰唆了，你的结论到底是什么？你不会要我们去找一个连着脐带的岛屿吧？你以为岛屿像人一样，还带着脐带出生？要这么说的话，海水不就成羊水了？”鲁滨逊不耐烦地咆哮起来，那拉丽委屈得泪水在眼眶里直打转。

玛尔丽加捅捅鲁滨逊的腰，示意他别说了，鲁滨逊也不理她，只顾怒气冲冲地瞪着那拉丽。真是的，又是脐带又是孩子的，尽在那里胡说八道……

等等！刚才说什么来着？脐带？脐带？这个词怎么老在我脑子里盘旋？等等，好像有什么灵感来了……咦，有一个人的脸出现了，我看见了一个人的脸……他是谁呢？

鲁滨逊拍着脑袋，努力集中思绪。

“达·迦马！”鲁滨逊突然大叫了起来。

就是他，在开往巴拿马的轮船上遇见的老人，刚才盘旋在脑海里的模糊的影像正是他。鲁滨逊清晰地回忆起老人述说的故事中的一段情节：“每当岛中央的火山开始冒烟的时候，人们就会认为那是天上垂下来的脐带……”

对了，拉帕努伊岛！那里就是世界的肚脐！

感谢达·迦马老人，临终前还帮了他这么大一个忙。这么多天，自己可是把老人忘得干干净净了。想到在最后关头把生还希望给了自己的老人，鲁滨逊心里有说不出的愧疚。他抬头望着天花板，一滴泪水悄悄地从脸颊上滑落下来。

“你怎么了？”玛尔丽加问。

“啊？哦，没什么。”他擦擦眼睛，望着她淡淡一笑。

两人这才注意到，那拉丽不知为什么一直紧闭着眼睛，呆呆地站在那儿。鲁滨逊纳闷地问：“那拉丽，你在干什么？”

“现在可以了吗？”

“你说什么呢？什么可不可以的？”

“刚才您不是说，把眼睛闭上吗？”

“什么？我什么时候说过？”

“都闭上眼睛[①]！你刚才明明这么说来着……”

哈哈哈哈……鲁滨逊不禁大笑起来，他的唾沫像大雨一样飞溅开来。玛尔丽加连忙扭过头，可还是被洗了个脸，而可怜的那拉丽动作慢了一步，就惨遭了“唾沫浴”。

可是，不管怎么样，大家的心情都非常愉快。他们又顺利过了一关，下一步就是将潜艇开往那“世界的肚脐”。

你知道吗？

世界上最大的贝类是生活在珊瑚礁附近的砗磲。据说，有些砗磲的贝壳完全可以供人在里面自在地洗澡。在有着坚硬外壳的甲壳类动物中，最大的是巨螯蟹，据说有人曾捕到一只长3.6米、体重18千克的巨蟹，它的钳子里就可以容下一匹马。

世界上最大的软体动物是生活在大西洋里的一种大墨鱼。它们身长6米，腿长10米，加起来就有16米了，8个徐章勋（韩国著名篮球运动员）那么高的运动员叠起来才差不多，体重也在2吨以上。它们的一只眼睛就有人的两个脑袋那么大，一个吸盘有人的手掌那么宽。墨鱼的亲戚——章鱼长得也不算小，人们曾在太平洋里发现过9米多长的大章鱼。

① 在韩语中，“达·伽马”和“闭上眼睛”的发音是完全一样的，所以那拉丽误会了鲁滨逊的意思。——译者注

被跟踪的潜艇

“我们非得绕这么大一个弯不可吗？”

“哎呀，我快受不了了！”

“是啊，没有别的办法。”

鲁滨逊郁闷地连连捶打自己的胸脯。真弄不明白，为什么放着近路不走，偏要绕远。拉帕努伊岛位于南纬27.10°，西经109.21°，在由无数岛屿组成的玻利尼西亚群岛的最东端。它距离夏威夷8000千米，距离澳大利亚9000千米，与相距最近的南美大陆也有3700千米之遥，真可谓是地球上最孤独的岛。

从北大西洋的直布罗陀海峡到南太平洋上的拉帕努伊岛，一共有三种方法。最快的路线是，往西从大西洋中部直穿过去，通过巴拿马运河；第二种方法是，沿大西洋南下，通过南美和南极大陆之间的德雷克海峡；第三种方法是，沿大西洋北上，经过北极海，通过俄罗斯和阿拉斯加之间的白令海峡。

如果说第一种办法好比从首尔到大田（韩国中部城市，距离首尔167.3千米）的话，那么第二种路线就相当于从首尔到釜山（韩国南部城市，距首尔大约450千米）那么远，而第三种路线，简直相当于从韩国到美国的距离了。很显然，第一条路线才是明智的选择，但是玛尔丽加非说东西亚特兰蒂斯之间的警戒线——大西洋中央海岭是不可以通过的。

“我们偷偷地经过不行吗？”

“我不是说了吗，我们一越过那条警戒线，就会警报大作，军队出动，说不定还会引起战争，怎么可以做这么鲁莽的事呢？”

“要不就请求他们放过我们一次，下不为例。”

“不行。就算西亚特兰蒂斯的国王会答应，撒乌里乌斯也不会放过我们的。而且这样一来，我们所做的事情说不定就露馅了。”

“唉——那该怎么办呢？”

“往南去呗。虽然有点远，但总比第三条路线好多了。”

“南边就没有警戒线吗？”

“海岭是一直延伸到南极的，但是警戒线在赤道就终止了。南大西洋不属于亚特兰蒂斯人的活动领域。”

鲁滨逊也没辙了，只好点点头。虽然他心急如焚，恨不能早一分钟到达拉帕努伊岛，但也无计可施。总不能冒着引发战争的危险硬闯警戒线吧。

“那拉丽，你现在就回王宫去吧。”

“啊？为什么？”

“你回去告诉父王，就说2000年间一直无法解开的谜底也许就要被揭开了。”

“公主您自己回去告诉他不就行了吗？”

“那怎么行？我要是回去的话，父王肯定会派一大群卫兵来保护我，那事情不就麻烦了吗？滨逊一定不愿意这样，是吧，滨逊？”

“啊？哦，是啊。”鲁滨逊呆了一呆，结巴起来。他还是第一次听到女孩子这么甜甜地叫他“滨逊”，不禁傻了。真好听啊，末淑是打死也不会这么叫的，她总是没好气地“喂”“喂”地叫他。

“所以啊，你回去跟父王说……”

“我也要跟你们一起去！”那拉丽泪眼婆娑地缠着玛尔丽加。

鲁滨逊也觉得玛尔丽加有点不近人情，再一想，她说得也对，要是让别人介入这件事，闹大了可就麻烦了。

“呜呜呜……那好吧，”那拉丽抬起头来，哀求地望着玛尔丽加，“那就让我陪你们到赤道，行吗？”

“不行！我们把你送到王宫附近，在那里分手。到了赤道，你一个人怎么回去？”

“没事的，我可以搭乘路过的潜艇嘛。呜呜呜——公主，求求您了……”

鲁滨逊望着涕泪滂沱的那拉丽，不由起了恻隐之心。说到底，她这么伤心，还不都是为了自己嘛。“好了那拉丽，就这么着吧，你送我们到赤道再回去。”玛尔丽加被缠得没办法，只好让步。

他们的潜艇来到直布罗陀海峡时，太阳已经完全落下了。

“呜呜呜——滨逊先生，请您千万保重啊。”

潜艇早已消失不见了，那拉丽站在原地哭了半天，才无精打采地转过身来，准备回王宫去。

“啊——”尖锐的惊叫声几乎震动了整个海洋。五六个长相猥琐的家伙正向她逼近，一副不怀好意的表情。其中有一个人，眼睛像鲨鱼一样凶狠，一看就是个野蛮残忍的家伙。

“你，你们是谁？”

“哈哈哈，你就是玛尔丽加身边的小丫头吧？”

“是，怎么了？”

“你们公主呢？去哪儿了？和他在一起的小子是谁？别说瞎话蒙我，我早就接到情报了，说他们俩一到神庙，那里就发出奇异的光芒，我就急忙赶过来了。”

“啊，这么说，你，你是……撒乌里乌斯？”

“哼，一个臭丫头也敢直呼我的名字？”

“不，我，我什么都不知道，我也没见过什么奥里哈肯。”

“奥里哈肯？”

啊呀呀——那拉丽意识到自己说漏了嘴，赶紧闭上，但是撒乌里乌斯显然已经猜到发生了什么不寻常的事。

“佐基里乌斯！”

“在！”

“30 分钟内，你给我让这个臭丫头老实交代，无论用什么方法，明白了吗？”

“是！”名叫佐基里乌斯的家伙带着阴森森的笑容，逼近过来。那拉丽也听说过他的名字，知道他跟他的主子一样，是个无恶不作的家伙。她惊恐万状，全身都僵硬了。

30 分钟后，战斗潜艇载着撒乌里乌斯一行，飞快地向南太平洋驶去。

Stage5 最后时刻的到来

在听了拉帕努伊的故事后，鲁滨逊明白了神谕中最后一句的含义，就在他们要终结这一万年的惩罚时，却有一支黑洞洞的枪口对准了他们……

神秘之岛——拉帕努伊

在苍茫的碧海和幽远的蓝天之间，一座小小的岛屿格外引人注目。这是一座多么孤独的岛啊！不要说离大陆，就是离玻利尼西亚群岛的其他岛屿，也非常遥远。它孤零零地屹立在海面上，从这里只能看到烟波浩渺的大海和直冲云霄的火山，还有那些像守护神一样日夜守卫着岛屿的巨石像——毛阿伊。

毛阿伊们高高昂起头，有的面向大海，有的面向岛屿内部。它们都有着高耸的鼻子，佛像般长长的耳垂，薄薄的嘴唇和深陷的眼窝，脸部长得非常像西方的白人，最底下只到髋部，没有腿。成群的鸬鹚从这些神秘的石像头上飞过。

“这儿真的会是世界的肚脐吗？”玛尔丽加疑惑地问。

“没错，肯定是的！你没听说过吗，虽然现在火山活动已经停止了，但过去这里经常会冒出脐带一般的烟气。这可是我从瓦斯科·达·迦马的后裔那里听来的，还会有假？”

“那我们该怎么揭开海洋的秘密呢？”

“是啊……”鲁滨逊茫然地望着眼前的岛屿。神的眼睛、世界的肚脐都已经找到了，可是神谕依然是个不解之谜。鲁滨逊的脑子在关键时刻往往能冒出点灵感来，今天好像也不好使了。

“先绕着岛转悠一圈吧，说不定能想到什么。”鲁滨逊说。

“我们俩？”

“是啊，我们俩在一起多好，就当是约会散步嘛。”

“你傻啦？我不是不能到陆地上去的吗？”

啊呀，对呀，怎么把这茬儿给忘了，玛尔丽加跟自己不一样，她可是水中人呀，她的腿都已经变成鳍了，怎么能在陆地上行走呢。看着悲哀地轻轻摇头的玛尔丽加，鲁滨逊后悔不迭。一不小心又戳到人家的痛处了，得想个办法弥补一下才好啊！

“哎，我有个好办法！”

“什么办法？”

“我背着你走吧！这样别人就不会注意到你的腿了，你穿着裙子嘛。”

“行吗？我可挺沉的。”话虽这么说，玛尔丽加早已喜笑颜开。

成功了,刚才的过失已经挽回了。鲁滨逊松了口气,转过身来，让玛尔丽加伏在自己的后背上，嘴角露出了欣喜的笑容。

“累了吧？要不要休息一下？”

“不要紧，刚刚不是已经休息过了吗。”

鲁滨逊像老黄牛一般气喘吁吁，汗如雨下。他正背着玛尔丽加,顺着陡峭的山路往上爬呢。一开始,玛尔丽加还像棉花一样轻，慢慢地越来越沉，现在他觉得自己背着的简直就是一个大铁块。

上岛以后，鲁滨逊没有理会其他火山，决定就爬脚下的这一座，这是出于一种“第六感”。当他仔细观察这座山笼罩在烟雾之中的火山口时，突然有种奇怪的感觉，好像谁在那里面呼唤着自己的名字。他想，说不定达·迦马老人所说的那些脐带般的烟气，正是从这座山里冒出来的呢。

“再走一小会儿就到了。”

“如果山顶上什么也没有，那可怎么办呢？”玛尔丽加问。

“没关系，至少我们可以在那儿看到岛屿的全貌。”

眼看山顶越来越近，鲁滨逊觉得自己浑身又有劲了。背上的重量好像轻多了，脚下的步伐也轻快起来。突然，眼前豁然开朗，蔚蓝的天空和海洋同时映入眼帘。到山顶了！

鲁滨逊站住了。在一片云雾缭绕中，他看到有个老人，正默默地俯身眺望着无边无垠的大海。

炼金术士讲述的传说

鲁滨逊把玛尔丽加放了下来，深深吸了一口气，小心翼翼地向老人走去。老人显然也听到了动静，慢慢转过身来。

两人目光相撞的刹那，“啊！”老人发出一声短促的惊叫，跌坐在地上，满脸愕然之色。鲁滨逊吓了一跳，正想说话，老人突然跪了下来，用颤抖的声音叫道：“霍多·玛多阿大王！”

“老爷爷，您怎么了？”鲁滨逊不解地问。

老人抬起头来，呆呆地望着他。他把鲁滨逊上上下下仔细打量了一番，渐渐的，他的脸上流露出极度失望的神情。鲁滨逊丈二和尚摸不着头脑，愣愣地看着他。

“你，你是谁？”

“我是鲁滨逊，从韩国来。她是玛尔丽加。”

“鲁滨逊？这么说你真的不是霍多·玛多阿大王？”

“谁是霍多·玛多阿，您到底怎么了？”

老人长叹一声，默默地把视线转向大海。他哽咽着自言自语道：“霍多·玛多阿国王啊，您怎么到今天还不来呢？我昨晚做了个奇怪的梦，所以一大早就赶到这里来了，可是……”

他又回头看看鲁滨逊，说：“对不起，我认错人了。你长得太像我在梦里见到的霍多·玛多阿大王了。哦，我叫格弥基隆，是研究炼金术的。”

炼金术？就是把那些廉价的金属炼成金子的炼金术？现在世界上还有研究这荒唐玩意儿的人吗？即便是在这人迹罕至的荒岛上。鲁滨逊好奇地想。

这时玛尔丽加开口问道：“谁是霍多·玛多阿大王？老爷爷您为什么要等他呢？”

“霍多·玛多阿是2000多年前第一个把文明带到这个岛上的人。他率领7名使者来到这里，建立了一个和平的王国。”

“那么，您为什么要等一个已经去世了那么久的人呢？”鲁滨逊问道。

老人的表情严肃起来，生气地望着鲁滨逊：“别说这样的话，竟然把霍多·玛多阿的传说不当一回事。他一定会回来重建没落的王国，让特－皮托－特－赫努阿重放光辉。”

“特－皮托－特－赫努阿？这是什么意思？”

“这是当年霍多·玛多阿王建立的王国的名称，是这里的土语，就是‘世界的肚脐’的意思。”

“天哪！世界的肚脐？”鲁滨逊和玛尔丽加同时瞪大眼睛惊叫起来。肚脐！刚才还让他们觉得毫无头绪的世界的肚脐，原来就在这儿啊！两个人高兴得眉飞色舞，对击了一下手掌表示庆贺。

老人奇怪地望着他们：“你们怎么了？”

“啊，没什么。”

“我们本来就这样，因为我们俩是很好的朋友……对了，您说您是炼金术士是吗？您会造金子吗？”

“我对金子什么的一点兴趣也没有，我可不是因为贪图金银财宝才成了炼金术士的。”

“那么？”

“我想做的是瞳仁，就是眼珠子啊。”

“眼珠子？！”

老人眺望着大海，他目光迷离，银白的头发在风中飞舞。南太平洋辽阔的海面上，海鸟在自由地飞翔。

“拉帕努伊岛上流传着一个古老的传说：毛阿伊们的眼睛发出五彩光芒的那一天，海面上会升起两道彩虹，霍多·玛多阿大王就会回来了……但是世界上有哪种宝石能发出五种不同颜色的光啊，我想制造的就是这样的宝石，好给毛阿伊当眼珠啊。”

鲁滨逊的心脏咚咚咚地狂跳起来。五彩光芒？两道彩虹？那不就是说两块奥里哈肯宝石吗？玛尔丽加的脸也兴奋得红了起来，看来她和他想得一模一样。

“您想找的宝石……是不是这样的？”鲁滨逊小心翼翼地打开牛皮袋子，灿烂的光芒射出来，映照着整个大海和天空。老人惊讶地睁大了眼睛，张大了嘴巴。

“哦！这光芒……”老人又惊又喜地站了起来。愣了片刻，他突然老泪纵横，冲着鲁滨逊砰砰砰地磕起头来。

霍多·玛多阿的象形文字

“老爷爷，快起来吧，求您了。我不是什么霍多·玛多阿啊。”

“不，您一定就是霍多·玛多阿大王，否则的话，您怎么会有这两块宝石呢？”

“我真的不是！”

“昨天我做梦的时候，霍多·玛多阿大王的脸就跟您长得一模一样。清瘦的身材，发黄的脸……虽然跟传说中英俊威武的相貌不太一样，但又有什么关系呢？您总算回来了，您知道我等您等得多苦吗？”

“哎呀呀……”鲁滨逊慌了手脚，不知所措地望着玛尔丽加。玛尔丽加虽然也十分惊讶，但比他冷静多了。她皱着眉头，呆呆地出神，好像正想着什么似的。她的直觉告诉她，老人所说的霍多·玛多阿大王的传说跟波塞冬留下的神谕一定有什么关系。

“老爷爷。”玛尔丽加亲切地叫了一声。

“是，王妃。”老人恭敬地答道。

啊呀，王妃？这么说他把玛尔丽加当成我的妻子了？鲁滨逊又是尴尬，又有几分窃喜，他不好意思地看了玛尔丽加一眼。要是末淑知道了，非把他骂得狗血喷头不可。

“关于那个传说，您还知道些什么吗？”玛尔丽加问道。

“我就知道这么多，刚才已经全都说过了。但是我听说，传说变为现实的那一天，就是霍多·玛多阿大王的愿望得以实现的那一天。他在朗戈朗戈上留下了这样的预言。”

“朗戈朗戈？”

“哎呀，瞧我这记性！我实在太激动了，把这都给忘了……”老人惶恐地双手合十站了起来，连连退后了几步。过了一会儿，他从身上掏出一块陈旧的木板来。

“这是陛下您亲笔所写的郎戈郎戈，只有您才有资格读它。”

“朗戈朗戈到底是什么东西？”

“是拉帕努伊岛的象形文字啊。这不是您亲手写的吗，怎么都不知道？”

“啊……因为时间已经过去太久了。”鲁滨逊含糊其辞地说着，把木板接了过去。要想揭开神谕之谜，还是暂时将错就错，装作自己是霍多·玛多阿大王为妙。只见木简上画满了甲骨文一样的图案和弯弯曲曲的文字符号。

“我不知道这上面写的是什么内容，这种文字已经消失很久，没有人再用它了。不过就算我懂，我也绝对不会去看它的。我们祖先有命令，在霍多·玛多阿王回来之前，谁都不可以看这些文字。”

天哪！那么现在是要我去念这些像蚯蚓一样歪歪扭扭的古文了？鲁滨逊不知所措地望着这些所谓的朗戈朗戈。这时，只听玛尔丽加在他耳边惊叫一声："啊，这文字……"

"怎么了，你认识？"

"这……这不是亚特兰蒂斯的古代文字吗？没错，我在皇家学院的古典文学课上学过。"

"啊？真的吗？！"

鲁滨逊笑逐颜开，把木板递给她。南太平洋的拉帕努伊岛上怎么会流传着亚特兰蒂斯的古代文字呢？老人不停地眨巴着眼睛，看来也对笼罩在神秘面纱后的拉帕努伊岛的秘密非常好奇。

"怎么会……"玛尔丽加急切地读着朗戈朗戈，她的手渐渐颤抖起来，眼睛越瞪越大。

你知道吗？

朗戈朗戈是拉帕努伊岛上的土著民自古以来使用的独特的象形文字，在他们语言中是"窗口"的意思。19世纪中期，秘鲁商人闯入岛上，掳掠了将近2/3的岛民做奴隶，剩下的大部分人又因遭遇天花的侵袭而死亡，朗戈朗戈就此成为神秘的语言，无人能够破解。直到20世纪50年代，学者们才开始解读出其中很少的一部分。

藏在朗戈朗戈中的悲伤往事

我这样日日夜夜眺望着茫茫大海，等待着久候不至的朋友，不知不觉已过去整整70年了。现在，我的身体已经衰弱，恐怕无法继续等下去了。为了忠诚的百姓们，为了将来有一天一定会复活的我的祖国——亚特兰蒂斯，我将在这里留下所有的故事……

“什么？”刚听到这里，鲁滨逊就跳了起来。亚特兰蒂斯！这么说霍多·玛多阿是亚特兰蒂斯人？怎么会这样……

然而接下来的内容才更叫人吃惊。

一万年前，亚特兰蒂斯人触怒了神，沉没到海底的时候，只有少数人侥幸逃过了这场灾难，他们就是为了开辟新的家园而外出航海的船长和船员们。

他们在大西洋西部找到了两块面积很大的土地，比亚特兰蒂斯还要大，一片细长的陆地将这两片土地连接在一起。

他们就在这里抛锚，登上了这片陆地……

“大西洋西部的大块陆地……是美洲大陆吧？”

“是啊。”

“那么他们上陆的地方……”

把美洲大陆上下连接起来的细长陆地，不用说，就是中美洲了。那里也是玛雅文化的发祥地。鲁滨逊好像突然想起了什么。

失去了故乡的他们只好在那里定居下来，一代一代繁衍、生活，并留下遗言，在亚特兰蒂斯复活之前，不许给部族取名。他们就这样过了一万年。

我是这个无名部落的祭司长，有一天，我接到神的旨意：移居到南太平洋的小岛上去，在那里等待亚特兰蒂斯人，他们会来寻找我们的。但是他们到底什么时候来，连神也不知道。一千年？两千年？还是得再等上一万年……

“等等！沉没以后一万年的话……”鲁滨逊沉吟着。

“波塞冬给我们降下神谕不也是这个时候吗？”玛尔丽加说。

“我明白了！神一边给亚特兰蒂斯人降下神谕，一边又给霍多·玛多阿这边的人们传达了神谕，让他们在这里等待同族的到来，因为亚特兰蒂斯人如果破解了神谕的秘密，自然就会找到这里来的。”

“我继续往下念吧。”玛尔丽加说。

但是神的旨意遭到了人们的反对。他们一方面是因为不希望离开已经有了深厚感情的故乡，另一方面是因为不愿做没有指望的等待。最后，只有我，霍多·玛多阿，和另外7名部下按照神的旨意来到这里。其他人都留在了故乡，并且决定给自己的部族起一个名称，不再做“无名族”了。另外，他们决定离开海洋，把领土迁移到丛林里去，以示对神和祖先的赎罪之心。从此，这个新的部族延续了亚特兰蒂斯的辉煌文化，它的名字叫玛雅。

“玛雅？”

“叫玛雅？”

原来如此！

原来玛雅文化也是亚特兰蒂斯人的子孙们创造的。怪不得玛雅的遗址——大美洲豹神庙里埋藏着奥里哈肯宝石，玛雅的预言家们也预言了亚特兰蒂斯的复活。现在，神谕上所掩盖着的神秘面纱，已经一点一点地被揭开了。

我们8个人来到这个南太平洋的孤岛上，建立了王国，取名为“特－皮托－特－赫努阿”，管理这里的土著，并等待自己同族的到来。有一天，我在梦里见到了他们。奇怪的是，他们的模样跟我完全不同，就像人鱼一般，头很小，头发全掉光了，腿也退化了，只留下一点点人的特征。

我明白了神施加在他们身上的刑罚是多么严重，于是日夜为他们的悲惨命运痛哭。有一天，我下定决心，要在岛上各处雕刻他们的石像，表示我从来没有忘记过他们，我一直都在翘首盼望着他们的到来。

但是我不忍心雕刻他们那几乎已经变成鱼尾巴的腿。我所能做到的，就是把他们的头雕刻得更大一点……

鲁滨逊这才恍然大悟，为什么毛阿伊们没有腿，脑袋又都那么硕大，为什么南太平洋孤岛上的石像脸庞会像欧洲人：因为这些脸庞的主人，正是亚特兰蒂斯人。

鲁滨逊的鼻子酸酸的。他的眼前仿佛出现了霍多·玛多阿一边流着眼泪，一边雕刻石像的情景。

现在，我马上就要离开人世了。但是我的百姓们会把雕刻石像的工作继续下去，直到我们日思夜想的同族来到这个岛上寻找我们为止。根据神谕，他们应该会带着两颗奥里哈肯，来揭开海洋的秘密。

我希望这两颗宝石能够成为毛阿伊的瞳仁，所以雕刻的时候就把他们的眼睛部分留下了。想到我立在当初登陆的地方的毛阿伊，将来会在后代子孙的手里完成，我感到非常欣慰。

到了毛阿伊们的眼睛放射出五彩光芒、大海上升起两道彩虹的那一天，到了我期盼了一辈子的祖国复活的心愿实现的那一天，我一定会回到这里来的。虽然我的肉体已经消失，但我的灵魂会回来，会尽情品尝那份喜悦。

那美好的日子早日到来吧！

伟大的亚特兰蒂斯的后裔

霍多·玛多阿

朗戈朗戈就这样结束了。鲁滨逊和玛尔丽加默默对视，叹了口气。一万年的惩罚，两千年的等候啊！

天上开始落下泪水一般的雨点，仿佛上天也在垂怜有着悲伤历史的拉帕努伊岛。

最古老的毛阿伊

“真是太不可思议了，这个小小的岛上居然会埋藏着这么巨大的秘密！”

“我觉得霍多·玛多阿大王实在太可怜了，他想念着同族们，也不知道最后是怎么瞑目的。”

“可您现在不是已经回来了吗？”老人还是固执地认为鲁滨逊就是霍多·玛多阿，以为他只不过是失去了所有的记忆而已。鲁滨逊也不再分辩，索性将错就错地扮演起霍多·玛多阿的角色来。

“这里的百姓继承了陛下您的遗志，1500年来一直坚持进行着雕刻毛阿伊的工作，还特意塑造了8个毛阿伊来纪念陛下您和当年的7位随从。您要是看了，一定会很高兴的。”

“是吗？”

“但是从300年前开始，拉帕努伊的国力迅速衰退，制作毛阿伊的工程就逐渐停止了。取而代之的是选拔鸟人的风俗，以便将陛下您的意愿以另外一种方式延续下去。”

“鸟人？是那些会飞的人吗？”

“是啊。他们每年选拔出岛上最勇敢的战士，授予‘鸟人’的称号，让他管理这个岛屿一年。陛下您在世的时候，经常在奥隆戈悬崖上远眺大海，后来这个悬崖就成了每年选拔鸟人的圣地。”

“那是在什么地方？”

“什么地方？不就是这里吗？您的健忘症真的很严重啊。”

老人瞪大眼睛看看鲁滨逊，用手指着刚才站着的悬崖。这个悬崖立在太平洋上，陡峭险峻，阵阵波涛汹涌而来，在岩石上撞得粉碎。岩石上面刻着一副巨大的画像，那是一个展翅欲飞的鸟人的形象。

“这是300年前祖先们为了纪念陛下您而雕刻的。您生前不是经常这么说吗，如果人也能够像鸟儿一样在天空中翱翔，那该有多好。”

鲁滨逊好像明白了霍多·玛多阿当年的心情。他对那些被困在海洋里的不幸的同族寄予了无限同情，所以才会有这么一个想法：如果同族们都有了翅膀，不就可以立刻展翅飞上天空，离开幽禁着他们的大海，飞到这里与同胞们相聚了吗？

“岁月流逝，记着陛下您的百姓越来越少，奥隆戈悬崖上选拔鸟人的风俗也终于在100年前被遗忘了。那时拉帕努伊岛上选举了最后一届鸟人，就是我的祖父。我能够得到陛下您的朗戈朗戈木简并一直珍藏，就是由于这个原因。”

老人的眼睛湿润了。能够遇到梦中想念的霍多·玛多阿大王，并亲手把木简交还给他，老人是多么激动而自豪啊。鲁滨逊也非常感激老人能够帮助他揭开神谕的秘密，他觉得自己和玛尔丽加真应该给老人磕几个头。

“格弥基隆。”

“是，陛下。”

“霍多·玛多阿，不，我当年上陆的地方是这里吗？”

“这个如果陛下您都不知道，还有谁会知道呢？”

“当然应该是在北部海岸，因为当时他们是从玛雅民族曾经生活过的中美乘船过来的。”玛尔丽加说。

哇，她可真聪明，末淑跟她真是没法比。鲁滨逊叹服地看了她一眼，干咳了一声，庄严地说：“我们走吧，皇后。”

玛尔丽加狠狠地瞪了他一眼。

下山的路比来时轻松得多了，因为老人执意要背玛尔丽加。身体是轻松了，可不知怎的，鲁滨逊的脑海里老是盘旋着小时候学过的一首教导人们尊敬老人、助人为乐的诗：

连背带顶的那位老人啊，
请把您沉重的负荷卸下来给我，
让我助您一臂之力……

你知道吗？

拉帕努伊岛的西南侧有一座名为拉诺廓的火山，从山脚到达山顶大约需要两个小时，面向大海一侧的悬崖就是当初拉帕努伊岛人一年一度选举鸟人的地方。奥隆戈悬崖上刻着一副鸟人图，鸟头人身，振翅欲飞。它和毛阿伊一起被认为是拉帕努伊的两大谜题，吸引着众多的游客前来观光。

最后的危机

岛屿的北侧，一尊巨大的毛阿伊孤独地面对大海凝然肃立，眺望着远处的地平线。它比别的毛阿伊都要大，有 10 米左右高。

“啊，那个毛阿伊……”

格弥基隆老人大声说道：“那就是人们为陛下您所雕刻的毛阿伊，神鸟总是飞到它的肩膀上面歇息。”

“神鸟？”

“我的祖父说，这个岛上曾经生活着一只很大的信天翁。每逢奥隆戈悬崖上选拔鸟人的日子，它就会飞来，所以岛上的人们都认为它是陛下您的灵魂，对它非常虔诚。那只鸟总是落在这个毛阿伊的肩膀上，凝视着大海，后来，选拔鸟人的风俗消失了，从此它再也没露过面。当然，我也从来没见过它……”

“哦……”鲁滨逊听着听着，突然想起了妈妈的唠叨。“滨逊呀，快起来，别一吃完饭就躺着，当心以后转世变成牛……”如果真像妈妈所说的那样，人经过生死轮回，会重生成别的生物，那么那只信天翁说不定还真是霍多·玛多阿投生的呢。

鲁滨逊走近那个大毛阿伊，细细观察。

望着毛阿伊的脸庞，他的眼睛突然发亮了。毛阿伊的眼眶里是空的。

“怎么样，它有眼睛吗？”玛尔丽加也赶了过来，焦急地问。

“没有。”鲁滨逊答道，默默地攥紧了手中的牛皮口袋。现在，只要把袋子里装着的两颗奥里哈肯宝石放到毛阿伊那空洞的眼眶里，就万事大吉了，就像画家画龙点睛一样。终于结束了，亚特兰蒂斯人一万年的惩罚；结束了，霍多·玛多阿的遗恨；结束了，美丽的玛尔丽加的眼泪和忧伤。

“真是太好了。”玛尔丽加由衷地说。

“什么？”

“幸好是你破解了神谕的秘密。你想想，万一撒乌里乌斯那帮战争狂比我们早一步揭开神谕的秘密，那真是太可怕了……”

如果是这样，人类就会因为他们的野心遭到巨大的灾难，到时候，恐怕连一直想阻止他们重返陆地的波塞冬也会无可奈何，因为他传下神谕的时候明明说过，揭开神谕秘密的那天，就是亚特兰蒂斯人可以重新上陆的那一天。作为神，他怎么可以出尔反尔，不讲信用呢？

“这可多亏你了，滨逊。”

“不是啊，是因为我有你这么一个聪明能干的好皇后。”鲁滨逊做了个鬼脸，顽皮地看着她。

就在这时，他听到一声冷笑。嘀，是谁吃了豹子胆，大王我在这里发话，他居然敢冷笑？鲁滨逊的双眉皱成了“八”字形。

“哼哼哼，你们玩得还真开心啊。”一个阴森森的声音在耳边响了起来，好像是从地狱里传来的一般。

玛尔丽加像是挨了重重一击，笑容凝固了，脸唰地变得雪白。鲁滨逊闻言也浑身一震，僵硬地转过身来一看，撒乌里乌斯和他的部下们像从地狱里钻出来的一般，站在海岸边的浅水里，每个人的手里都端着一把枪，黑洞洞的枪口一齐对准了他们。

波塞冬没有死

“哈哈，趁我还没生气，快点乖乖地把奥里哈肯交出来！”

“你这个混蛋、魔鬼，我决不会把宝石给你的，死也不给！”

鲁滨逊对着撒乌里乌斯破口大骂。这个卑鄙无耻的家伙，居然想索取奥里哈肯宝石，这无比宝贵的神的眼睛可是亚特兰蒂斯复活的希望啊。

“死也不给？好，那就来看看你是不是真的死也不给吧。你别以为我无法上岸就对付不了你，哼哼！”撒乌里乌斯把乌黑的枪口对准了鲁滨逊，嘴角露出一丝残忍的笑容。

啊——这下完了！鲁滨逊绝望地想。就在这时，只听玛尔丽加带着哭腔喊道：“撒乌里乌斯！”

“嗬，吓我一跳。你这小丫头，怎么声音这么大？”

“求求你，住手吧！你们荒唐的梦想绝对不可能实现的。”

“少废话，我们一定能够支配全世界！为了这个理想，我们已经等待了整整 12000 年，你现在居然要我放弃？”

“神不会放过你们的！”

“哼！你以为抬出神来，就可以吓倒我了？破解神谕的那一天，我们亚特兰蒂斯人就可以回到陆地上了，这可是波塞冬自己说的。他要是不遵守诺言，就会失去他作为神的力量和权威。”

眼看撒乌里乌斯这么执迷不悟，玛尔丽加转身朝向大海，掩面大哭起来。神啊，全知全能的神啊，显显灵吧！

撒乌里乌斯仍是一副嘲讽的口吻：“你既然这么相信神，就求求看吧！哼，和平！你去求神保卫你所谓的和平吧！如果一分钟之内他没有回答，我就把那个长得跟虾虎鱼一样的家伙干掉！”

玛尔丽加果真跪倒在地上，双手合十，虔诚地祈祷起来。

然而海面上依然是那么平静，没有一丝变化。50 秒过去了，55 秒,59 秒……眼看所有的努力和收获就要在这一刹那化为泡影，这时——“王、王子！”撒乌里乌斯的一个部下慌慌张张地从水里探出头来。

撒乌里乌斯皱皱眉头，转过身去。鲁滨逊本以为是神来救他了，满怀希望地抬起眼睛望了海面一眼，一看原来是撒乌里乌斯的部下，他不由绝望地垂下了脑袋。尼采说对了，神已经死了。要不就是他的耳朵全聋了，否则他怎么会听不见玛尔丽加那么虔诚的祈祷呢？

“你慌什么？”撒乌里乌斯不耐烦地问。

“大、大事不好了！”

“到底出什么事了？”

“刚、刚才接到消息，我们西亚特兰蒂斯的武、武器库发生了爆、爆炸……”

“你说什么？”撒乌里乌斯咆哮了一声，一把拎起他的衣领。

玛尔丽加两眼发光，又是高兴，又是惊讶，鲁滨逊也猛地抬起头来。啊！神一定是听到了玛尔丽加的祈祷！原来神没有死啊！要不就是他用了助听器。

“爆炸！武器库怎么会爆炸的？”

“海底火、火山喷发……”

“啊！”撒乌里乌斯发出一声呻吟，满脸沮丧。

这时，又一名部下从水底下冒出来：“王子！我们的舰队正准备出征，突然发生地震，舰艇全都被摧毁了！”

“什么?！我的五、五万艘潜艇全都完蛋了？”

“是的，连我们乘坐着过来的那艘潜艇也毁了——”

“呀——气死我了——”撒乌里乌斯连连怪叫起来。刚才还神气活现的他在接踵而来的噩耗下，像泄了气的皮球一样一下子瘫软下来。

玛尔丽加望着他，再次以恳切的语气规劝道：“撒乌里乌斯，难道你到现在还不明白吗？神是不会容许亚特兰蒂斯人发起第二次战争，破坏整个世界的。”

“呜呜呜……”撒乌里乌斯号啕大哭起来。

“武器不是永恒的。真正的力量并不是来自于武器，而是来自于和平与团结。”

“呜呜呜……”撒乌里乌斯哭着哭着，突然抬起头来，恶狠狠地盯着玛尔丽加。他的眼睛里闪烁着残忍的光芒。

“臭丫头，你现在得意了吧？我们完蛋了，我们的梦想全都破灭了，现在是你们东亚特兰蒂斯人抖起威风，吞并我们西亚特兰蒂斯的时候了，对吧？”

“不，不是这样的。”玛尔丽加摇摇头，坚决地说，“就算我揭开神谕秘密，就此成为统治者，我也绝对不会用武力去占领西亚特兰蒂斯。我所希望的，不是统治和权利，而是和平与团结。如果你向我承诺以后会尽你的力量去维护和平，我就宁愿把王冠让给你，让你来统治整个亚特兰蒂斯。”

“哼！你别逗了！”

“撒乌里乌斯，请你相信我。我向你发誓，回去以后，我要做的第一件事，就是把我们的武器全部销毁。”

“我可不信。你以为我那么蠢，会相信你？瞧你那得意劲儿，好像你现在就已经成了整个亚特兰蒂斯的女王似的。哼，你别忘了，既然潜艇都已经完了，不只是我，你也回不去了。”

“我不怕，神一定会帮助我的。”

“哼！只怕神还没来，你们俩就已经变成马蜂窝了！”撒乌里乌斯的眼中露出邪恶的凶光。

他正举枪对准玛尔丽加，海上突然传来一阵奇怪的声音。

你知道吗？

鲸鱼是如何进行远距离“通讯”的呢？越往海洋深处，水温就越低，但是到了一定深度以后，温度就不再下降，而水压却是一直不断增加的。如果用图表来表示水温和水压的关系，就会得到两条相交的线，在这个交点的垂直位置上，声音几乎不会分散，因此可以传播得很远。这就是我们所说的“声音通道”。研究发现，鲸鱼能够很好地利用这一声音通道来进行通讯。

用死亡揭开大海的秘密

一开始，那声音好像是遥远的鼓声，渐渐地越来越近，越来越响，震耳欲聋。

笃笃笃——

整齐而急促的马蹄声，如同雷鸣一般，震动了整个岛屿。与此同时，海面上掀起了巨大的波浪，仿佛要吞噬整个世界。

玛尔丽加惊喜地大喊一声："那是神的马队，它们来救我了！"

青铜色的马蹄，金黄色的鬃毛，没错，那正是波塞冬的马队。它们正飞快地逼近拉帕努伊岛，是为了把玛尔丽加带回遥远的大西洋而来的。

撒乌里乌斯的脸顿时变成了死灰色。

"该死，到现在还来插一手……"

片刻之间，数百匹马嘶鸣着腾空而来，它们高高地扬起前蹄，喷出灼热的鼻息，瞬间包围了整个岛屿。

撒乌里乌斯用充满血丝的眼睛呆呆地看了马队片刻，突然回过神来，气急败坏地冲部下们吼道：

“你们这群笨蛋，还愣着干什么？还不把它们都给我杀了！”

砰砰砰砰——部下们的枪口上迸出一条条火舌来。

然而马儿们悠然地站在那里，它们的身体像是用钢铁铸成的一样，毫发无损。

“撒乌里乌斯，你到现在还没有醒悟吗？你违抗神的旨意制造出来的武器，别说是神，连他的马都无法伤到分毫。波塞冬并不是来横插一手，他是要告诉你们，你们的梦想是多么虚妄。”玛尔丽加还在苦口婆心地试图说服撒乌里乌斯。

撒乌里乌斯浑身虚脱，一屁股坐在地上号哭起来：

“呜呜呜……想不到我到头来还是无法抗拒神的威力……”

他失神地喃喃自语了一阵，渐渐地，他的脸上罩上了一层寒气。他扭过头来，瞪着鲁滨逊，眼睛像疯子似的闪着异样的光芒。他把枪口慢慢地对准了鲁滨逊，不，准确地说，是对准了鲁滨逊手里的牛皮口袋。

“嘿嘿……”他发出一阵狞笑。

“你，你想干什么？”鲁滨逊惊恐地问。

“哼，我要把奥里哈肯打个粉碎，看东亚特兰蒂斯人还能不能回到陆地上去，哈哈哈——要完蛋就大家一起完蛋！”

这个恶魔！鲁滨逊用仇恨和憎恶的眼神怒视着他。

神啊！你到底是怎么回事？难道就派了马队来，自己躺在家里睡大觉不成？我都快没命了，你还在那里坐视不理！还是说，你只有助听器，还少一个老花镜，看不到这里所发生的一切？

撒乌里乌斯猛地扣动扳机。砰！枪口冒出了一道火光。

与此同时，鲁滨逊猛地掉转身，撒腿拼命往毛阿伊的身边跑去；而玛尔丽加则像小鸟一样腾身跃到了空中，挡在鲁滨逊的身前。三个人同时发出惊叫。

“啊！”是玛尔丽加中弹后痛楚的叫声。

“玛尔丽加！”是鲁滨逊又惊讶又悲痛的呼唤。

“这个臭丫头！”是撒乌里乌斯咬牙切齿的诅咒。

玛尔丽加无力地跌倒在海边，全身都已被鲜血染红。鲁滨逊跌跌撞撞地跑到她的身边。

就在撒乌里乌斯咬着牙齿，重新举起枪的一刹那，空中突然出现一个巨大的阴影，慢慢覆盖了整个海滩。狂风四起，天昏地暗，海滩上的砾石像落叶一般四下飞扬。

“这、这又是什么东西？”

那遮挡了阳光的庞大物体，正是被出海的人奉为神灵的信天翁，它的身体像雪一般洁白耀眼，翅膀则像夜晚一般乌黑。它正收拢起巨大的翅膀，缓缓降落在海滩上。从前岛上的人们一定就是把它视为霍多·玛多阿大王的灵魂。

随着信天翁的出现，撒乌里乌斯听见部下们的惨叫声此起彼伏。他急忙向四周看去，原来部下们被四处飞扬的砾石击中，横七竖八地摔倒在地，那些侥幸没有被击中的，也忙不迭地用手抱住脑袋，惨叫着纷纷倒地。

“撒、撒乌里乌斯……”玛尔丽加急促地喘着气，艰难地开口道，“答应我，现在……收起你的野心吧，人是永远无法抵抗神的力量的，不要再做蠢事了，让我们为了和平，团结起来吧！”

“……”撒乌里乌斯面部抽搐，手中的枪咣当一声掉到地上。

鲁滨逊搂着玛尔丽加，泪水迷蒙了他的眼睛。

玛尔丽加吃力地抬头看了他一眼，又缓缓回头，凝视着不远处的毛阿伊。鲁滨逊会意，急忙从牛皮口袋里掏出两颗奥里哈肯，递到她的手中。

玛尔丽加接过宝石，又艰难地转过头望着信天翁。信天翁忽闪着大大的眼睛，大步向玛尔丽加走来。

“让我坐到你身上去吧。”玛尔丽加用微弱的声音说。

信天翁好像听懂了似的，点了点头，俯下身来。

鲁滨逊搀扶着玛尔丽加，让她坐到信天翁的背上，信天翁便展翅飞到毛阿伊的肩膀上。

最后的时刻终于到了。玛尔丽加用颤抖的手，把奥里哈肯嵌到毛阿伊的眼窝里。

一个，又一个。这一瞬间，海神波塞冬的复活神谕经过漫长的2000年终于实现了。

刹那间，毛阿伊的眼睛射出灿烂的光芒。世界上所有的一切都映入它巨大的眼睛里。只听格弥基隆老人激动地高喊道："你们看，双彩虹！"

在南太平洋浩瀚的海面上，升起了两道灿烂的彩虹，那么美丽，那么神秘。玛尔丽加眷恋地望了彩虹最后一眼，慢慢地闭上了眼睛，嘴角还露出一丝安详的微笑。

你知道吗？

信天翁自古以来就被认为是一种神圣的海鸟。传说出海的人们在航海途中因病或事故死亡，就会化为信天翁，在海面盘旋徘徊。信天翁几乎一生都在海上生活，连休息都是在水面上进行的，只有产卵的时候才飞向陆地。它们平时生活在南极的北部，一到产卵期，就要长途旅行12000千米到陆地上去。

尾声

清晨，鲁滨逊独自站在奥隆戈悬崖边上。他的脚下有三个隆起的坟墓。

“玛尔丽加，”他在第一个坟墓前跪下，低声说，“大家都不会忘记你的。你用自己的生命捍卫了和平。撒乌里乌斯说，他回去要做的第一件事，就是解除警戒线，然后转告东亚特兰蒂斯人，你临终前的希望是摧毁全部武器。他还说，统一了东西亚特兰蒂斯以后他也不会戴上王冠，因为只有你才有资格戴上它。你看，现在亚特兰蒂斯人可以在大西洋小小的无人岛上安居乐业，等待腿重新长出来的那一天了。”

他顿了一下，轻轻抚摸着第二个坟墓：“加佛莱昂，我已经遵照你的遗言，去过亚特兰蒂斯，并且为它的复活尽了力。天边那两道美丽的彩虹，你一定看得到，对吧？”

他又把视线投向最后一个坟墓。这是一生都在海上度过，最后又把生命献给了大海的达·伽马老人的坟。

“达·伽马老爷爷，真高兴我能够履行对您的承诺，我已经按照您的托付，在拉帕努伊岛上为您建造了一个坟墓。现在，您可以在这里安息了，您毕生热爱的大海会永远陪伴着您。”

他闭上眼睛，眼前一一浮现出这些朋友们的脸。这是多么珍贵的经历和回忆，他将一生珍藏。

他站起身来，俯身向海岸望去。霍多·玛多阿大王的毛阿伊正用明亮的眼睛，俯视着浩瀚的大海。

“霍多·玛多阿大王，您的愿望终于实现了。我本来也想为您造一个坟墓，可是……”

想到这里，鲁滨逊苦笑了一下。当初自己说要为霍多·玛多阿大王造坟墓的时候，格弥基隆老人急得双脚直跳，死死拉着他不放：“陛下，世界上哪有人给自己挖坟墓的呀？”

两个人争执了半天，最后鲁滨逊无可奈何地宣布投降。突然，他疑惑起来，自己的前世究竟是什么呢？说不定还真是霍多·玛多阿大王呢，要不然，自己为什么会出现在老人的梦里？对，回到韩国，一定要叫妈妈找个灵验的算命先生，好好卜上一卦。

他抬起头来，望着旭日东升的地平线。脉脉的水波，温暖的阳光，明朗的天空，这里有着世界上最深邃、最辽阔，也最静谧的海洋。这一切是多么美好啊！这不就是玛尔丽加一直苦苦追寻，最后用生命去捍卫的和平吗？

他突然想起了什么：“啊，原来是这样！”

刚才他心里还有最后一个疑问：波塞冬为什么选择这里作为揭开神谕秘密的最后一个地点呢？而现在，在他望着那美丽安详的大海的一瞬间，这个疑问有了答案：是因为这片海洋的名字——

Pacific Ocean，意思不就是“和平的海洋”吗？

终于解决了所有问题的鲁滨逊心情愉快地走下山坡。但是他没有意识到，还有一件异常艰巨的任务摆在他面前：那就是如何摆脱那拉丽一把鼻涕一把泪的纠缠。

图书在版编目(CIP)数据

男孩的科学冒险书.3/〔韩〕朴敬洙,〔韩〕金勋基著;〔韩〕李宇一绘;陈琳译.-海口:南海出版公司,2010.9

ISBN 978-7-5442-4828-0

Ⅰ.①男… Ⅱ.①朴…②金…③李…④陈… Ⅲ.①科学幻想小说-韩国-现代 Ⅳ.①I312.645

中国版本图书馆CIP数据核字(2010)第118708号

著作权合同登记号 图字:30-2010-054